星海社文庫

空の境界 未来福音

the Garden of sinners / recalled out summer

奈須きのこ

Illustration/武内崇

空の境界

the Garden of sinners / recalled out summer

未来福音

KinokoNasu / TakashiTakeuchi

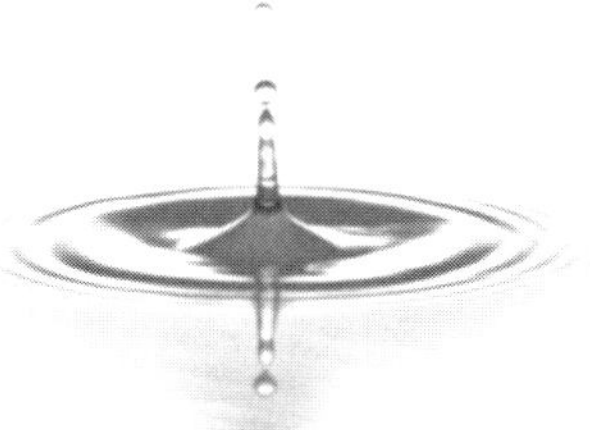

the Garden of sinners / recalled out summer

未来福音　*Möbius ring*　p.7

未来福音 序　*Möbius link*　p.111

未来福音　*Möbius ring*

わたしは世界に二人いる。
現在《ここ》と未来《あっち》に一人ずつ。
左目と右目は違うもの。同じ情報《せかい》を、違う視点から眺めている。

望遠鏡で遠くを見ている自分、
バックミラーを見ている自分。

どちらにせよ、罪深い事に変わりはない。
結末を知るわたしは無責任な神さまだ。
変える事のできない未来をただ待つだけ。
未来に期待はないし、希望もないし、これといった意見もない。
退屈な毎日、
退屈な未来、
退屈な人生。

……でもきっと。わたし自身が、ずっと一番つまらない。
憂鬱《ゆううつ》まじりにベッドに転がるのがわたしの日課。
そんな自分の姿を、三日後のわたしが笑っている。

／未来福音

私の世界は二つある。
どちらがどちらの影であるかなんて、正直、確かめる事さえ忘れてしまった。

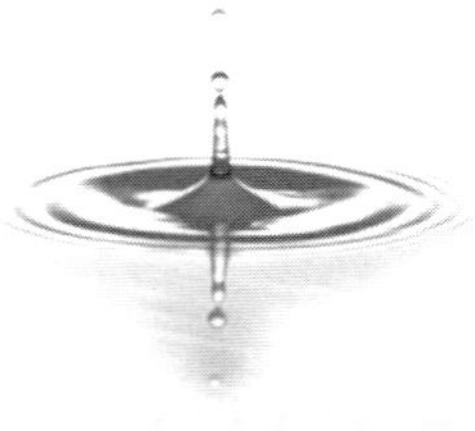

4／

一九九八年八月三日、午前十一時四十分、猛暑の盛り。

観布子《みふね》市の心臓部からやや離れた川べりに、創業十年を迎える大型デパートがある。

駅前から離れた事で広大な敷地を確保した店舗は、都心に孤立する城塞のようだ。

四階建ての、横に広い典型的な店構え。

家族連れの定番であるフードコートや、最新機器は見あたらないが、そう時代遅れでもない電化製品売り場。その他、靴《くつ》、洋服、洗剤、電灯と、種別の違う商品が仲良く隣りあっている。

ここは現代らしい均整《きんせい》のとれた見本市。高望みさえしなければあらゆる需要に応えてくれる、近隣住人たちの生命線だ。

しかし。そういった品揃《しなぞろ》えの豊富さに比べて、店内の活気は薄かった。

正午前のデパートは客入りが少ない。駅前の店とは違い、このデパートのように周囲の住人を顧客とするデパートは目覚めが遅い。デパートも店員も、訪れる人々も、目を覚ますのは十二時を過ぎてから。

夏休みであろうと例外はなく、平日のデパートの朝は間延びした時間に包まれている。

外の世界より何段階も弛緩《しかん》した空気。

何人かの利用者がいながら、いく人かの来訪者がいながら、ここはまだ、外の時間と噛《か》みあってはいなかった。不吉な救急車の呼びかけにも、けたたましく鳴り響くパトカーのサイレンにも上の空。

起きていながら活《い》きていない。

城塞都市さながらのデパートは、堅固であるからこそ、内部の異常にしか対応できない造りになっている。

なので、誰もその異分子に気付かない。

デパートと同規模の広さを持つ立体駐車場の三階。そこに彼を追って、ナイフを忍ばせた着物姿の少女が現れても、監視カメラさえフレームから外している。


「――――よう。追いついたぜ、爆弾魔」


少女は手にした携帯《けいたい》電話に語りかけて、指を離す。

コンクリートの地面に携帯電話が落ちる。

少女は背中の帯からナイフを引き抜く。

その両眼が、用心深く周囲を睨《にら》む。

駐車場に音はない。

夏の日射《ひざ》しが、闇のように濃い影を形《つく》っている。

何台かの乗用車が駐《と》まっている。

天井は低く、柱と自動車が遮蔽物《しゃへいぶつ》となって視界は悪い。

少女は……知り得ない筈《はず》なのだが……二十メートルほど離れた大型車《ワゴン》の陰《かげ》に、私がいる事を察している。

私と少女の中間地点には三つの爆弾。

駐車している車の屋根にとりつけた鉄パイプ。中には火薬と、直径数ミリの鋼玉をそれぞれ五百個ほど詰め込んである。火薬の威力を最大限にするため、パイプの両端は密閉済み。これは今までのような破壊目的の焼夷弾《しょういだん》ではなく、人間の殺害を目的とした物だ。私は再三の失敗から、あの少女にはこれがもっとも安価で効果的だと判断した。

爆発によって四散する鋼玉の射程は十メートル。万全を期して三方から囲み、一切の逃げ場を無くしている。おかげで万が一の未来《きせき》も視《み》えない。私に鋼玉が届かないのも確認済み。被害と言えば、骨ごと肉を引き裂かれて死体になる少女と、傷だらけになる周囲の自動車と、十秒後にエレベーターから出てくる親子連れだけ。

少女はまっすぐに、見えない私に向かってくる。

エレベーターの扉が開く。
買い物袋を抱えた子供と、和《なご》やかに笑う父親と母親が駐車場に入ってくる。
少女はちらりとその親子連れに視線を送り、私は遠隔操作のスイッチを押す。
瞬間。トラブルなど起こしようのない単純な作りの信管が作動し、火薬に火をつける。
コンマ数秒ほどの戸惑いが、少女の動きを鈍らせる。

一秒の後。
両《りょう》儀式《ぎしき》は、爆発によってばらまかれた二ミリの鋼玉を全身に受け、人としての原形を留めぬまま、なすすべ無く即死した。

1／

問答無用に夏なのだった。

思わず目を細める強い日射し。

森から流れてくるさわやかな緑の匂《にお》い。

街に下りればそこは湿気《しっけ》と熱気うずまく日本の夏だろうけど、山奥にある学院はそんな都心の喧噪《けんそう》とは無関係だ。避暑地さながらの過ごしやすさで、こうして気持ちのいい朝を演出してくれる。

ここは俗世から離れた泣く子も首をかしげる現世の監獄――じゃなくて学舎《まなびや》、私立礼《れい》園《えん》女学院。そろそろ希少種になりかけている、由緒正しい令嬢の為《ため》の、刺激に薄い、全天候型・独立機動要塞なのである。

『瀬尾《せお》は中学からなの？　マジ、こんな生活を三年もかよ！　……はあ。あたしは今年からなんだけどぉ。冗談抜きで言うと、アンタらマジどうかしてると思うよ？』

などと、疲れきった顔でわたしを気遣ってくれたのは高等部から編入してきたナオミちゃんだったっけ。

彼女のように、編入組はたいてい礼園の規律の厳しさに絶望する。

礼園は基本、全寮制。学院の敷地から外出する事はおろか、寄宿舎ではとなりの部屋に遊びに行く事ですら届け出がいる徹底ぶり。一日の半分は教室、半分は寄宿舎の部屋、という鬼の管理システムで、遊びたい盛りの子にはあまりにも苦しい毎日なんだろう。

しかし。

そんな子たちは、きっと家では自由を与えられていた羨《うらや》ましい子たちなのだ。一日の半分はお姫さまが住むような部屋で、カッコイイ執事さんにお茶とか淹《い》れてもらって、〝まあ、庭でグレイブテイカー（ゴールデンレトリバー・八歳）がお客様にご迷惑をかけているわ、うふふふふ〟なんて笑っていられた子たちなのだ。

富豪、名家にも色々ある。中には、その、家柄とか資産運用とか関係なく、たんに趣味を突き詰めていたら、いつの間にかお金持ちになっちゃった人たちもいるのである。

北陸ではそれなりに有名な酒蔵《さかぐら》である我が瀬尾家はそういう困った人たちだ。

二百年以上の歴史を持つ老舗《しにせ》、お酒造りの魔人たちの厳しさは冬の冷たさより半端《はんぱ》ない。使えるもの、手の空《あ》いているものは誰であろうとこき使う。

わたしは幼少期からお酒が友達で、利《き》き酒なら礼園の誰にも負けない自信があって、でもそんな発言をしたら反省室七日間コースは確実で、いやいやそんなコトより礼園に来るまでわたしには自由時間なんてものはなくって、たとえ独房でもホントの趣味に費やせたらどんなにいいかと夢想しつづける毎日であり、その願いが届いたのか、一日の半分は部屋にこもってひたすら同――――いや、机に向かっていい自由を手に入れたのであった！

しかもわたしの部屋はＡ組のあまり部屋で、同居人もまだいない。二人で一室のところ、一人で一室！　つまり、シスターにさえ気をつければ誰の目も気にする事のない理想的な環境なのです！

……とまあ。このように礼園女学院の生活は理想的で、たまに個人的な問題で落ちこんだりするけれどわたしはホント元気です。

「…………………はあ」

元気、なんだけど。シスターからの呼び出しで、わたしは溜息《ためいき》をつきながら寄宿舎の廊《ろう》下《か》を歩いているのだった。

長廊下にはめられた一面の窓からは、晴れやかな夏の日射し。

古い、歩くたびにギシギシ鳴る木造の廊下を憂鬱《ゆううつ》な気持ちで通過する。わたしが重いワケじゃなく、持っている荷物が重いのだ。

『一年Ａ組の瀬尾静音《しずね》さん。お父様からのお電話を預かっていますので、一階事務室まで――――』

響きわたる館内放送に肩を落とす。

憂鬱というより諦《あきら》めとか、やっぱりこうなったかー、というガッカリ感。

よっこらしょ、とバッグを抱え直して、わたしは夏の、誰もいない廊下を後にした。

◇

八月になったばかりの朝。

これといった目立った伏線もなく、父親からの電話を受けとる。

電話の内容は〝今年の夏休みは礼園に残っていいという約束だったが、お父さん気が変わった。今週中に帰ってきなさい〟という横暴きわまりないもので、わたしは一応、カタチの上だけでもお父さんの期待に応えるよう、不満たらたらで〝お父さんはお酒造りの地獄に落ちるといい〟と合意を示し、シスターに受話器を返すのだった。

「瀬尾さん、ご帰宅ですか？」

「はい。予定、変わっちゃったみたいで。ご迷惑おかけします」

「いえ、瀬尾さんこそ大変でしょう。急な話で、お家に帰る支度も――」

冷徹な事で有名なシスター・アインバッハの目が、きょとんとわたしの足下に向けられる。そこには荷物を纏《まと》めたボストンバッグがあって、わたしはササッと記入済みの帰宅届けを提出した。

「驚きました。用意がいいのですね、瀬尾さんは」

「いやあ、それだけが取り柄ですから」

では、とシスターにお辞儀をして寄宿舎の談話室に移動する。

談話室は寄宿舎の中で唯一、生徒間の私語が許された場所だ。

夕食後、この談話室に集まって一時間だけ話をするのが礼園での唯一の娯楽。もちろん入り口にはシスターが立っているのでハメを外すコトはできないけど。

今日は夏休みの朝ということで、シスターの姿はない。大半の生徒は帰宅しているので、シスターたちもお休み中なんだろう。

「……もう。次のバスまで、あと三十分もあるし」

バスの時刻表にまで裏切られる。

八月三日、月曜日。どうせならお盆まで残っていたかったけど、しょうがない。逆らったって無駄《むだ》なのは自分が一番見知っている。

だって昨日の夜から、わたしはこの結果《みらい》を寸分違わず見届けていたんだから。

「お、ソファーの上にネコまんじゅう発見。なにやってんの瀬尾？　朝から二度寝とはいい身分だね、どうにも」

「――――」

アンニュイにソファーに沈みこんでいた体を起こす。

隣の学習室からやってきたのは、反体制気質ながらも勤勉家なナオミちゃんだ。なんでも学習室の紅茶は無料《ただ》のクセに美味《おい》しいとかなんとか。礼園の寄宿舎生活に飽《あ》き飽きしながらも、自分なりにエンジョイしようとするガッツマンである。

「あー、いや、ネコっていうよりイヌだよね瀬尾は。訂正訂正。んで、ホントになにしてんの？ 誰かと待ち合わせ？」

「……そうじゃないのです。ワタクシ、このたび実家に帰るコトになりまして」

陰鬱《いんうつ》な溜息といっしょに一言。

わたしから瀬尾家のあらましを聞いているナオミちゃんは、ああ、と天に祈るように嘆いてくれた。

「マジ？ アンタ、あんなに夏の海を楽しみにしてたのにヒデーじゃん！ 一日ぐらい実家から帰ってこれねえの？」

帰ってこれないからこそのネコまんじゅうなのです。

それと、ナオミちゃんは誤解をしています。わたしが楽しみにしていたのは夏の海ではなく、水着とか砂浜とかやきそばとか、そういうのとはまったく縁《えん》のない夏の海辺の一大決戦なのでした。

「元気ないなあ。なんだよ、脱走ぐらい試みろって。金ならカンパしてやるし、そもそも親の言い分なんて断れよう。瀬尾いなくなったらますます寂《さみ》しいじゃん、この寄宿舎！ ほら、体調悪いとか、約束があるとかで親父さんごまかせないの？」

残念ながら、どんな嘘《うそ》もお父さんには通じない。

わたしが見た風景は実家で泣きながら、お酒の臭《にお》いでいっぱいの工場の中、下駄《げた》はいて蒸米《むしまい》をくみ出している瀬尾静音の姿だ。あれが視《み》えた以上、どう頑張《がんば》っても大筋は変えられない。せいぜい、寄宿舎に帰って来る日が一日二日早まるぐらい。

「いい。なんかもう、いろいろどうでもいいっす」

再びソファーに沈みこむわたし。

ネコまんじゅう……彼女にとってはイヌまんじゅう……を、ナオミちゃんはやれやれと呆《あき》れながらも見捨てられず、手近にあった椅子《いす》に座りこむ。よっこらしょ。

「ったく、瀬尾って基本考えなしのクセに妙に諦めいいからねぇ……こうなったらなに言ってもスルーするし。……次のバスで行くの？」

「急がないと家に帰るのが深夜になるから。ところでナオミちゃん、今朝はコーヒー？」

「？　ううん、紅茶だけど。それがどした？」

「なんとなく。意味はありません」

不思議《ふしぎ》そうに首をかしげるナオミちゃん。不思議なのはこっちも同じで、わたしは時折、なんの意味もなくどうでもいいコトを聞きたがるクセがある。子供の頃からの悪癖《あくへき》なのだが、これがどうにも直らない。

「でもさあ。そんなに寂しいならナオミちゃんも帰ればいいのに。おうちホンコンでしょ？

楽しそうじゃないですか」

「あたしはアンタと逆。普段の素行がアレだからね、外出届けが通らなかったの。親父サマもいい機会だから躾《しつ》け直してもらえとさ」

やれやれと肩をすくめる。

ナオミちゃんは礼園の学則以上に、実家のお父さんを嫌っている。わたしから見るとケンカ仲間という感じだけど、とにかくお父さんの言うことに真っ向から逆らっている。

そんなナオミちゃんにとって、実家に帰る為の条件、条件、条件、は——

†

そうは言うモノの、数日後、彼女は観念して脱色した髪を元に戻し、寄宿舎を後にする。

原因は彼女の[redacted]の弟が[redacted]に遭《あ》った事。

鞄《かばん》一つで、早足に寄宿舎を後にする。

化粧を落とした彼女は、どこから見ても恥《は》じる事のない、気品あふれる令嬢だった。

†

聞こえていた音と、聞こえている音。

視えていたものと、見えているものがゆっくりと一致していく。

人知れず目眩《めまい》を堪《こう》えるわたしの前で、髪をブリーチしたままのナオミちゃんが苦笑いしている。

「ま、新入りのおかげで順位も落ちたしね。学年トップとまではいかなくても、三位までには入っとかないとシスターたちうるさいじゃん？　あたしは大人《おとな》しく勉学に励《はげ》んでるよ」

素行の悪いナオミちゃんは、テストの点数でシスターたち……というか、学院側を黙らせている。

そのナオミちゃんをして脅威と言わしめるのは、六月の終わりに編入してきた新入生だ。名前は知らない。クラスも違うし、顔も見ていない。ただ、ずいぶんと難しい子、とだけ聞いている。

「新入りの子って、全国模試で上位だったって話だよね。なんでうちなんかに入ってきたんだろ？」

「さあ。本人の強い希望だったらしいよ。もともとN県のご令嬢なんだとさ。突然の事なんで今は寮長の部屋にいるらしいけど」

ふーん、と聞き流す。

まだ直接見ていないからか、まったくアンテナが立たない。

……風聞では完全無欠のお嬢様だそうだし、わたしみたいなエセお嬢とは金輪際《こんりんざい》縁のない人だろう。世界が違うというか、きっと話がまったく合わないというか。

「っと、そうだ。瀬尾、その制服《かっこう》で家に帰るの？　私服に着替えず？」

「……いい。わたし、他に服ないもん。お父さん送ってくれないし」

いじいじ、とますますまんじゅう化するわたし。

その姿があまりにも哀《あわ》れだったのか、ナオミちゃんはもう辛抱《しんぼう》たまらん、なんて顔で椅子から跳《と》び上がった。

「ばっか、早く言えっての！　来い、あたしの服貸してやるから！」

手を引っ張られて談話室を後にする。

もちろんナオミちゃんにはナオミちゃんなりの思惑《おもわく》があって、

「それはそれとして。服貸してあげるから、帰ってくる時に色々持ってきてほしいんだわ、これが」

はいお金、と一万円をくれるナオミちゃん。

おつりは使っていいそうだ。

ナオミちゃんはタイトルだけでシスターが貧血を起こしそうな、海外バンドのアルバム名をあげた。礼園密輸入品ランクＡに相当するけど、交換条件としては悪くない。

「いいけど。きっと無駄だよ、それ」

「なんで？　瀬尾、シスターの覚えいいじゃない。荷物なんてチェックされないって」

「うん、そこは安全だけど……ま、いっか。わたしもそのバンド、好きだし」

「？？？」

気前のいいナオミちゃんの事だ。我慢できず旅先でアルバムを買ってしまった場合、余り物は友人に譲ってくれるコトだろう。
そんな自分の小市民的なズルさに溜息をつきつつ、寄宿舎の廊下を急ぐ。
八月三日、午前九時三十分。
この時点のわたしの未来は、三日前に視たとおり、何の新鮮味もない日常だった。

2

『幹也《みきや》くん、観布子《みふね》の母って知ってる？』


うちの事務所が設計に関わった、とあるホテルの落成《らくせい》記念パーティーの後。

薄暗い事務所に帰るなり、煤《すす》で汚れたパーティードレス姿のまま、所長である蒼崎橙子《あおざきとうこ》は微妙に懐かしい単語を口にした。

◇

八月三日、晴天。

見上げれば目も眩《くら》むほどの太陽は、高層建築の街並みを湿《しめ》った熱気に包んでいた。

気温、不快指数、ともに今年の最高値を記録。

いよいよ本格化した夏は、道行く人々から色々なものを削《そ》ぎ落としていた。水分は言うに及ばず、余裕や落ち着き、一休みの精神まで。

通り過ぎる人の影が一段と濃いのは、なにも日射しのせいだけではないらしい。

午前十一時を過ぎて、日は高々と青空に君臨している。これから夕方までこの暑さが続くかと思うと、さすがに冷房のきいた建物に逃げこみたくもなる。式との待ち合わせ場所を馴染《なじ》みの喫茶店《アーネンエルベ》にしておいて正解だった。観布子の母の件は空振りに終わったけれど、目的の人物はこの近辺にいないと判っただけでも収穫だ。

路地裏と言うほどの暗がりではない、ビルとビルの間にある小道から大通りに出て、待ち合わせ場所に向かう。

——観布子の母というのは、むかし名物と言われていた辻《つじ》占い師だ。

ちょうど僕が高校二年の頃までこのあたりに出店をしていたと記憶している。自分は一度もお世話になった事はないけれど、クラスの女子たちがわりかし真剣に頼りにしていた事から、その名前だけは聞き覚えていた。

当時はそれなりにブームだった占いだが、観布子の母と呼ばれた女性はずいぶんと昔から、気まぐれでこのあたりに出没しては辻占いをしていたらしい。

彼女が名物占い師と言われたのは風貌《ふうぼう》や占いの的中率からではない。

彼女は未来を当てるのではなく、悲劇を回避させる事に長《た》けていたのだそうだ。

〝貴方はこの先、恋人と険悪になるわね。というか二日後だけど。なに、まだ愛想がつきてないの？　妥協《だきょう》でも愛着がある？　じゃ、三日間旅行に行ってきなさい。一人で。お土産《みやげ》ぐらいは忘れないで〟

……と。こんな感じでざっくばらんにアドバイスされ、悲劇はことごとく回避されたとか。もともと〝まだ起きていない悲劇〟を口にするのだから回避も何もないのだけど、実際、彼女の言いつけを守らなかった女の子は例外なく〝その悲劇〟に直面したという。

そんな事もあって、逆説的に彼女の占いの的中率は百パーセントなのでは、ともてはやされた。

が、当の観布子の母は〝未来をあてててるワケじゃないっての。下らないコト言ってんならもう止めるよ〟と不機嫌そうに言うので、ファンの女の子たちも仲間うちで噂するだけにとどめ、必要以上に祭り上げる事はしなかったらしい。

その名物占い師も、最近ではとんと噂を聞かない。

河岸《かし》を変えたのか、それとも彼女は女子高生の間だけの都市伝説だったのか。

二年前にここに居たという観布子の母は、影も形もなくなっていた。

「……まあ、占い師の稼ぎ時は夜になってからだけど。橙子さんもなんだってこんな事に興味を持ったんだろ、と――」

ガガガガガ、と鼓膜《こまく》を震《ふる》わす音がする。

アーネンエルベまでの近道、と曲がった先は工事中だった。片方の車線が完全に封鎖されている。

……占い師ではないけど、わりと交通量の多い道なので工事は夜にやってほしい。夏の暑さのせいか、こんな些細《ささい》な事にも愚痴《ぐち》をこぼしてしまう。

十分ほど歩いて見知った通りに出る。

一瞬、目眩を覚えるほどの白い光。

建物の陰になっていた小道と違って、大通りの日射しには容赦《ようしゃ》がない。ビルの鏡面に反射された太陽光は熱気となってアスファルトを灼《や》いている。

正午前、道には様々な人種があふれている。

背広姿の会社員より、私服の少年少女が多いのは夏休みだからだろう。

それぞれの一日をもった彼らは、通り過ぎる人々を視界に収めながら、それらを一つの風景として処理していく。僕も同様だ。道行く人たち一人一人に関心を持っていたら、一日はあっという間に終わってしまう。

隣人への無関心さは近代化による徳の変化、だけではないと思う。

当たり前の事ではあるが、もとから僕らは他人に対して一定の隔《へだ》たりを持っていないと主題《じぶん》を見失いかねない生き物だ。いちいち全てに感情移入していては、それこそ主役の座から転落してしまう。

なので、通り過ぎる「誰か」が暗い顔をしていても、極力スルーするのが当たり障《さわ》りなく生きていくコツ……というか常識だろう。

僕だって人並みに分かってはいる。ただそれとは別に、明らかに困っている人を見過ごすのも、やっぱり自分のあり方から転落してしまう気がする。

例えば、そう。

目的の喫茶店の前で、三十代の男性に手首をつかまれ、泣きそうになっている子がいたら声をかけずにはいられない。

道にはちょっとした空白ができている。人通りは彼らを避けるように流れており、男性と、男性に手首をつかまれた少女は円形の舞台にいるようだった。

男性は苛《いら》ついた声で少女をなじり、少女は顔面蒼白《そうはく》になりながらも、男性に対して何事かを懸命《けんめい》に訴えていた。

「――――」

よし、と軽く気持ちを落ち着けて舞台に足を向ける。

つい最近、このお人好し、と口を揃《そろ》えて怒られた事が頭をよぎったけど、僕じゃなくてもこれは仲裁に入るだろう。

「あの、すみません。ここで何かあったんでしょうか?」

男性と少女がこちらを振り向く。

男性は苛ついた顔から一転して、ばつが悪そうに視線を逸《そ》らす。

少女の方は目に涙をためながら、割って入ってきた第三者を呆然《ぼうぜん》と眺めている。

「……なにアンタ。この子の知り合い？」

「すみません、ただの通りすがりです。でしゃばりとは思いますが、放っておけなくなって。その子と何かあったんですか？」

もう一度非礼を詫《わ》びつつ、できるだけ和やかに質問する。男性はますます気まずそうに言いよどんだ。その仕草《しぐさ》を見ると、そう短気な人ではなさそうだ。

「いや、何かって言われてもよ、この子がいきなりケチつけてきたんだよ」

男性の言葉に、気まずそうに俯《うつむ》く少女。

「……はい？」

……おかしな事に。

因縁《いんねん》をふっかけられたのは少女ではなく、男性の方だったらしい。

男性は大きなボストンバッグを持っているが、この少女はとつぜん、そのバッグにしがみついてきたのだそうだ。

『そのバッグを持ってるとよくない事になる』

少女はそう怒鳴《どな》って男性を呼び止め、男性は何を言っても離れない少女に腹を立て、つい手を出してしまったのだと。

「……えっと。それ、本当?」

少女に話しかけると、少女は弱々しい声で、はい、と頷《うなず》いた。

「ほらな、分かっただろ。俺だってこんなところで子供と言い争いなんかしたくねえし。迷惑してたのはこっちなんだよ」

「で、でもですねっ……! ホントに、このままだとお兄さん、怪我《けが》というか、事故というか、控えめに言ってダンプに巻き込まれて挽肉《ひきにく》っていうか!」

「ああもう、夏だなホント! アンタ、このおかしいのの面倒みてやれよ。こっちはそれほど暇《ひま》じゃねえし!」

少女は終始この調子だったのか、男性は我慢できないと声を荒立たせる。……前言撤回。そう短気な人ではなさそうだけど、堪忍袋《かんにんぶくろ》の緒はそう頑丈《がんじょう》でもなさそうだ。

「いや、ちょっと待ってください。理由もなしでそんなこと言わないでしょう、普通。ねえ君、どうしてそう思うの?」

「……………」

少女は後ろめたそうに目を伏せるだけで、一切理由を語らない。ただ、小さな手が男性のバッグを必死に掴《つか》んでいる。……これでは弁護側《こちら》もお手上げだ。

その挙動不審さに嫌気がさしたのか、男性はバッグを引いて、少女の手を引き離した。

「もういいだろ、俺は行くぞ! そいつはアンタに任せた。殴られないだけでも感謝しろって言っといてくれ！」

「あ、あの……！　せめて近道はやめてくださーい！　あと、そのご職業もどうかと思います！」

「うるせえ、いい加減にしろ！　警察よぶぞバカ女！」

男性の大声に、少女はひっと肩《かた》を震わせて怖《お》じ気づく。

最後によろしくない罵倒《ばとう》を残して、男性は怒り肩で去っていった。

残ったのは僕と、あうう、と落ちこむショートカットの少女だけだ。

「大丈夫？」

「あ、はい……あの、ごめんなさい。仲裁に入っていただいて、助かりました」

おどおどしつつもペコリとお辞儀をする。子犬を連想させる仕草だった。

「で、では失礼しますっ！　急いで追いかけないと、あのわりと最低な人にも悲しんじゃうご家族が！」

――と。落ちこみながらも、少女はぐっと力を入れ直し、顔をあげた。

見知らぬ男性に怒鳴られたのだ。よほど怖かったのだろうに、涙ぐんだまま、男性を追いかけようとする。

「ちょっと待って。君がまた呼び止めたら、あの人ほんとに手をあげかねないよ」

「え――そ、それは怖い、です、けど……や、やっぱり義を見てせざるは大安売り、みたいな」

「うん、それはいい心がけだ。けどその前にもう一度だけ聞いていいかな。あの人がよくない目に遭うって、どうしてそう思ったの？」

「そ、それは、あの――」

またも言いよどむ女の子。彼女は少しだけ、怒鳴られた怖さからではなく、どうしようもない孤独さに涙するように、

「……なんとなく、です。わたしの勘《かん》って良くあたるから。この先の工事中の道で、あの人、バッグが原因で事故に遭っちゃうような、気がして」

世界で一番寂しそうな顔で、小さく吐露《とろ》した。

……その意志《かお》は知っている。
信じてほしい、という希望と、
信じて貰えるはずがない、という絶望。
泣く一歩手前の、必死に、何かを踏みとどまろうとする顔。
……もう随分《ずいぶん》と前の話。
冬の雨に打たれた夜、必死に、自分にはできないと泣いていた彼女の顔だ。

「驚いたな。勘だけでそんな話をしたのか。そりゃあ、あの人も怒るだろうね」

「……！」

少女は何か言いかけて、必死に言葉を呑んだ。

がっくりとうなだれる姿は、やっぱり子犬を連想させた。

「けど、たしかにそれは大変だ。あの人は僕が説得するから、それでいいかな？」

「へ？」

呆然と顔をあげる彼女に、任されたと指をたてる。

「君はここに残ってるコト。付いてこられると話がこじれそうだからね。うまくいったら報告するよ」

「え――え、え、うえ……!?」

動揺する少女を残して、去っていった男性を追う。

姿はもう見えないが、彼女の言葉が本当なら見失いはしないだろう。彼が向かっている先は、ついさっき僕が通り過ぎてきた場所なんだから。

3／

礼園女学院のある郊外から、バスに乗りながら街の風景を眺めていること一時間弱。

バスのステップを降りてＪＲ観布子駅を目指すわたしを迎えたのは、真夏の日射しと、学園にはなかった街の喧噪《けんそう》と、電柱とダンプカーの荷台にはさまってハンバーガーみたいになる見知らぬおじさんの風景だった。

→

「―――、あ」

死ぬような目眩に息がつまる。

冷房のきいた車内から、熱気うずまく外に出た反動だったらどんなにいいか。

頭の中をごっそりスプーンで掬《すく》い取られて、サイダーでいっぱいの水槽《すいそう》に移された感じ。汗をかいたガラスの壁ごしに、未来と現在《かこ》が分かれて見える。自分がどちらにいるのかさえ曖昧《あいまい》だ。脳のないわたしが本物か、サイダーの中の脳《わたし》が本体か。ともあれ、久しぶりに見た〝他人の未来死〟に、わたしは心停止一歩手前まで踏みこんだ。

……そうだ、うっかり忘れていた。寄宿舎生活は退屈だったけど危険な匂いが少なくて、こんなふうに、無関係な不幸を目にする機会がなかったんだ。

「――、――」

力ずくで止まっていた呼吸を再開する。

……嫌悪《けんお》、道徳、節度、勇気。いろんなコトへの怯《おび》えが喉《のど》をヒリヒリと嗄《か》れさせていく。

見知らぬ男の人は、大きなバッグを背負ったまま、のしのしと遠ざかっていく。

「あ、あ、あ――」

どうしよう、どうしよう、どうしよう。

話しかけようか。放っておこうか。でもきっと怒られる。

あの人の素性は知らないけど、どんな職業かは一緒に視えた。安い物を高く売って商売する類《たぐい》の人で、典型的な、押し売り・詐欺《さぎ》・キャッチセールスを力任せにする人となりだ。でも、どんな人にだって家族がいて、あの人にだって、大切にする家族がいるのも視えてしまった。

わたしは慌《あわ》てながらも、自分でもイヤになるぐらい冷静だった。

だって慣れている。こんなの、子供の頃から慣れている。

ワケのわからないコトを口にして大人の人たちに煙《けむ》たがられて、結局、結末はいつも同じだったんだ。なら怒られるだけ、笑われるだけ損で、どうせ見知らぬおじさんだし、ここで目を瞑《つむ》って背中を向ければ、わたしは何も知らなくて済む。……そう。関わらなければば、その結末を知るコトもない。嫌な思いをするのはもう御免だ。ならいい加減目を瞑るコトを覚えようっていつも自分に言い聞かせて、でも、なんていうか、ほら、

「あ、あの、待ってください！」

後悔するのがわたしだけなら、それはそれで辛《つら》いけど、誰かが後悔するよりはいいかもって思うのだ。

「貴方《あなた》です、貴方！　そこのおっきなバッグ持ってる人！　はい、悪質なキャッチセールスとかしてるおじさんのコトです！」

ざわっと人波が波紋を描く。

もちろん、水面に投じられた石はわたしで、周りからざざっとみんな引く感じ。

そして。

「――ああ？」

ぎょろりと振り返る、地上で一番不機嫌そうな顔をしたセールスの人。

「なに。いまの、俺のこと？」

「あ――あの、いえ」

さすがの迫力に、頭の中が真っ白になる。本来ならパニックになって何も言えない。

けど、不出来で、安っぽくて膨らんでいて、もこもことした購買の百円パンみたいになってしまったおじさんのいる風景が、今も目蓋《まぶた》に残っている。

わたしは体中の勇気を喉にかき集めて、見知らぬおじさんに立ち向かった。

で。結果はいつも通り惨敗だった。

惨敗、だったんだけど——なんか、すごくヘンな人が割って入ってきたのです。

「あの、すみません。ここで何かあったんでしょうか?」

その時。失礼ながら、助けが来てくれてホッとしたのが半分で、底抜けにお人好しなその人に呆れたのが半分だった。

……でも。

それはどんな目眩より、どんな未来視より、現実味のない一言だった。

だって今まで誰も、こんな風に、優しい声でやって来てくれた人はいなかった。

言葉を失うわたしと、冷静におじさんから話を聞くヘンな人。

あくまで中立を保つヘンな人の態度にイライラしていたおじさんは毒気を抜かれて、最後にわたしを睨んで行ってしまった。

残ったのはわたしと、ヘンな人だけ。

物腰から年上と推定されるヘンな人は、わたしに〝どうして〟と問いただしてきた。

「……なんとなく、です。わたしの勘って良くあたるから。この先の工事中の道で、あの人、バッグが原因で事故に遭っちゃうような、気がして」

正直に言ってもどうせ信じて貰えないし、笑われるのがオチだ。

わたしは顔をあげる事もせず、つまらない言い訳をする。

……なんていうか。笑われるのもイヤだけど、この人に軽蔑されたら、わたしはここで死んじゃう気がしたからだ。でも、

「驚いたな。勘だけでそんな話をしたのか。そりゃあ、あの人も怒るだろうね」

この通り、結果はどうやったって変わらない。

ヘンな人はやれやれ、と肩をすくめて、

「けど、たしかにそれは大変だ」

はじめて聞くような感情《こえ》で、わたしに笑いかけてくれた。

「――――へ？」

「君はここに残ってるコト。付いてこられると話がこじれそうだからね。うまくいったら報告するよ」

たったった、と早足でおじさんを追いかけていくヘンな人。

わたしは呆然と、道の真ん中で立ちつくす。

何度も瞬《またた》きをして、曲がり角に消えてしまった黒い背中を思い出そうとする。

……えーと、確認しよう。

今のは幻《まぼろし》じゃなくて、たしかに嘘みたいな話だけど現実で、任せろとか言われてホッとしてて、でもここに残っていろって、特急乗り損ねちゃうけど別にいいかなって頷いて、そういえばわたし、俯いてばかりでヘンな人の顔をよく見てなくて、あ、だからさっきから〝ヘンな人〟としか呼べないんだ、と自分につっこんでみたりして——突如《とつじょ》。遠くの方……川にかけられた橋のあたりから、花火があがるような音がして、我に返った。

「へ、うええ——!?」

爆発！　爆発だ！

周りのみんなも足を止めて橋の方を見ている。ここまで響いてくるってコトは、よほど大きな爆発だったんだろうか？　煙らしきものは見えない。事故があったのは間違いないけど、街中《まちなか》で爆発——わたしが視た事故は、そんな大きなものじゃなかった。ただの人身事故で、こんな、遠くからパトカーのサイレンが聞こえるような、大事件じゃなかった。

でも、もし……あのヘンな人がわたしの言葉を信じておじさんを追いかけて、その結果おじさんは工事中の道で、通り過ぎるダンプカーの荷台にバッグを奇跡的偶然でひっかけて、電柱でパンみたいにロールされて、止めに入ったヘンな人がなんか頑張りすぎちゃって、ダンプカーが橋まで暴走した、なんて——

膝が震える。ぐらっと地面ごと奈落に落ちそうな吐き気。

そんなわたしの前に、やっ、と手を挙げて帰ってきたヘンな――――ヘン、な――――


「お待たせ。君の言う通りだったよ。いや、ホントに危なかった」


黒いメガネのその人は、ぜんぜん危なそうじゃない声でそう言った。

わたしはようやく、顔をあげてまともに彼と向き合った。

――死にたい。というか五分前のわたしを殺したい。

わたし、なんでこの人を「ヘンな人」なんて言っちゃったんだろう……！

「あの人、大怪我せずに済んだよ。怪我はしたけど、ちょっと転んだ程度だった」

その左腕には大きな擦《す》り痕。あのおじさんがダンプカーに巻き込まれそうになった時、強引にバッグを取ろうとして洋服を擦ったのだろう。

そんなとばっちりの怪我も、メガネの人はぜんぜん気にしていない。

はじめてのコトだらけで、わたしはまたも頭が真っ白になる。

あんな言葉で信じてもらえた。

あんな風景を起こさずに済んだ。

それと、はじめて――

「うん、本当に良かった。あの人も、今頃は君にお礼を言ってるんじゃないかな」

――偉いぞ、と。

わたしの馬鹿げた自己満足を、この人は、誇らしげに認めてくれた。

「――、っ――」

気付いた時にはもう遅かった。さっきまでの我慢と、もしかしたら今までずっと耐えてきたものが堰《せき》を切って、ぽろぽろと瞳《ひとみ》からこぼれだす。

「へ？　ちょ、どうしたの……!?」

慌ててわたしの顔を覗きこむメガネの人。公衆の面前で、年下の子に泣かれたらそりゃあ慌てない方がおかしい。

わたしはわたしで、そんな彼に悪いと思いながらも涙を止めなかった。

嬉しくてこぼす涙なんて滅多《めった》にないし、正直、慌てるお兄さんの仕草があまりにもツボだったのです。

以上がコトの始まりにしてほとんどおしまい。

わたしこと瀬尾静音と、黒桐《こくとう》幹也さんとの運命の出会いなのだった。ばきゅーん。

かつて、私の世界は二つあった。

錯覚でも比喩《ひゆ》でもない。机に二つのモニターを載せたように、まったく同じ風景を、違う世界として同時に見ていた。

左の視界《モニター》は現在を。右の視界は結末を。

私は私の目的とする結末《みらい》を望む事で、一切の希望を見失う。

未知を知る者に人生《せい》の悦びはない。

失敗のない者に成功の充実はない。

私が視る結末《みらい》は、決して覆《くつがえ》る事はない。


私は、私の視た結末の為に手足を動かす。

まるで意志のない機械《オートメーション》。左目と右目の間を往復するだけの人工亡霊。

未来を築くようで、その実、未来に奉仕するだけの低俗な神の劣化品。


それらは錯覚でも比喩でもないが。

せめて妄想の類《たぐい》であれば、私も、少しはマシな人間になれただろうに。

†

倉密《くらみつ》メルカは職業的爆弾魔である。

完全外注制度の解体屋。あるいは、人様には口外できない依頼を受ける後腐れのない興行者《エンターテイナー》だ。本人にその気はないにしても、彼の活躍を望む人間がおり、彼の創った舞台に大勢の観客が集まるのであれば、それはステージと呼べるものなのだから。

観客の多くはいかつい制服を着た男たちだが、彼らは彼らで真剣に倉密メルカの仕事ぶりを見てくれる得難いリピーターである。そこいらの野次馬よりは何倍も気の利いた客層と言えるだろう。

さて。爆弾魔と言っても、彼の仕事はそう大きなものではない。

彼の扱う爆薬は器物、建物の破壊を主としたもので、殺人を目的としたものではない。請《こ》われれば用意もしただろうが、幸い、殺人に見合うほどの高い報酬《ほうしゅう》を提示された事はない。

求められるのは小規模なパフォーマンスだ。

たとえば粉末アルミニウムと磁性酸化鉄を混合させた焼夷爆弾や、化学肥料やエンジンオイルを使った化学爆薬。派手《はで》ではあるが、花火程度の威力しかない子供だましだ。

もっとも、それですら人間一人を殺すには十分すぎる爆薬だが、この国において人間の命はまだまだ値の付かないプレミアものである。個人ではとても扱いきれない。少なくとも、彼自身はそうであると信じて疑わない。
彼の仕事は舞台ジャックに近い。ある舞台を台無しにする為に雇われ、舞台の主役を偉業の功労者から悲鳴をあげて逃げまどう観衆にすり替えるだけのものだ。爆薬は人々を扇《せん》動《どう》するための小道具にすぎない。単に、未来を視る、という彼の妄想を最大限に生かせる装置が、爆薬だっただけの話である。

『ミライにはキタイはしないし、キボウもない』

そう。誇張でも比喩《ひゆ》でもなく、彼には『未来を予見する』力があった。
自分の視界が他人とは違うモノである事に、彼は比較的早い段階で気が付いた。
未来を映像として視る。
その特異性は、人一人の人生を狂わせるには十分すぎる。
たとえば、ここに一つの達成点がある。
学生時代、生徒間での普遍的な目的といえば試験の成績だろう。
彼は自分が理想とする成績を右目で視る。
同時に左目は、それを実現させる為の現在《ほうほう》を映しだす。

未来は夢見るものではない。確固たる意志で作り上げるものだと、彼は幼い頃から理解していた。

問題はその右目が視た映像は、彼の現在《こうどう》次第で完全に確定できる、という事だった。

自分は未来を視ているのではない。

右目に映るのは未来ではなく、五分後、一日後、一ヶ月後の〝当然〟の結果にすぎない。

現在を積み重ねた結果を、自分は早送りで見つめているだけなのだ――

その事実が、倉密メルカから人間らしい感情を剝奪《はくだつ》していった。

未来に期待はない。

人生には当たり前の事しか起こらない。

未来に希望はない。

自分には未知の出来事など与えられない。

そして――逆説的ではあるが、現在に価値はない。

どうすれば望む結果《みらい》を呼び込めるか判明しきっている以上――たとえそれが辛酸《しんさん》に満ちた選択だとしても――彼には、それ以外の道を選ぶ意味がない。

答えがすべて記入されている問題用紙のようなものだ。

一度結果《みらい》を視てしまえば、あとは成功させる為に必要な手順が左目に映し出される。

その通りに行動すれば、未来は映像通りの結果となった。

『なんだ。ジンセイってのは、つまらない』

そうして倉密メルカは社会に隔たりを感じ、当然のように孤立し、こうして現在に至った。

報酬さえあれば、爆破予告からその実行まで完璧に受け持つ。小金ほしさから始まった彼の仕事は、今では年に三件の割合で発生していた。

無論。本来、彼のような職種は需要もなければ居場所もない。

日本の警察機構は優秀であり、爆弾騒ぎなど実行したところで真相はたやすく解明される。その後に待つのは、主犯は誰に依頼をしたのか、という証言だけだ。まったく割に合っていない。倉密メルカという爆弾魔は空想上の、都市伝説的な笑い話にすぎない。

他でもない倉密本人がそう考えていた。

しかし。はじめの一件から、もう一度だけと泣きつかれての二件目。その紹介をうけての三件目、と続いて風向きは変わっていった。

オーダー通りに仕事をこなし、爆弾魔は見事なまでに捜査の手から逃れてしまう。正体は不明。そもそも爆弾魔は根城になる隠れ家も背後組織もなく、携帯電話一本で仕事を請け負っている。金銭だけが目的で、そもそも依頼主の素性を知ろうとさえしない。

この爆弾魔には自己顕示欲《けんじよく》めいたものはない。何の矜持《きょうじ》も持ち合わせない、という彼のあり方は、現代社会のニーズに即していたのだろう。気が付けば、彼はこの仕事だけで食べていける、職業的爆弾魔となっていた。

〝おい。そっちは危ないぜ〟


――その彼が、彼女に出会ったのは天恵《てんけい》だったのか、天罰だったのか。

ある仕事の帰り道、彼は着物の少女に呼びかけられた。

今回の仕事は平凡な、私怨による妨害作業だった。とあるホテルの落成式を台無しにしてほしい。ワンフロアを倒壊させ、かつ、死傷者は出さないように。

一層まるごと、という規模の大きさには手間取ったが、実行は可能だった。ホテルには落成式に呼ばれた人間しかおらず、屋上付近のフロアの警備はないに等しい。

彼は自分が求める結果《みらい》を望み、その未来像に従って行動するだけ。

かくして、右目が視た通り、ホテルは黒煙に包まれた。

その実行五分前。結果《みらい》を確認する為、ホテルの庭《ガーデン》に立ち寄った彼に、その少女は言ったのだ。そのホテルは危ないぞ、と。

少女は落成式から抜け出し、夜風を浴びている風だった。

わずかな違和感。好奇心。密かな期待。沸き立つ様々な感情を吟味《ぎんみ》しながら、彼は少女から離れ、爆発を確認しホテルを後にした。

翌日。ホテルの事件が沈静化した後、彼は落成式の参加者を調べ、あの日の少女の素性を知った。

少女の名は両儀式。

あの日――いや、はじめて彼の〝右目〟にいなかった結果《みらい》の名前。

倉密メルカが金銭目的以外で爆弾魔となるのはこれが最初で最後となる。

正体を知られた可能性。

顔を見られた事への口封じ、危険管理。

それら人間らしい感情を含めて、彼はあの少女を殺せるかどうかを、確かめずにはいられなかった。

†

「爆弾魔に狙われてるぅ？」

半信半疑どころかまるっきり信じていない様子で、蒼崎橙子は声をあげた。

夕暮れ時の伽藍《がらん》の堂《どう》。黒桐幹也が留守にしている隙間《すきま》を狙って橙子に相談した両儀式は、早くもしなければ良かったと後悔した。

「狙われてるって言うより、まとわりつかれてるんだよ。……幹也には言ってないけど」

「ははあ。アレか、ホテルの一件で目を引いたな。おかしなのに好かれる星回りなのかねえ、おまえは」

「笑い事じゃない。見ろこれ。今朝新聞受けに入ってた。連絡用の携帯電話までよこしてきやがったんだぞ」

ホテルの爆破事件からはや三日。彼女は毎日のように爆弾魔の被害にあっていた。

一度目は夜の工事現場で、閃光弾《せんこう》じみた爆弾。

二度目はアーネンエルベ近くの路上で、地雷じみた焼夷弾。

三度目はふらりと立ち寄った廃ビルでの、倒壊を目的とした時限式爆弾。

そのどれもが人気のない場所で、両儀式だけに目標《ターゲット》を絞った破壊工作であったのは不幸中の幸いだ。目撃者はいないが、犠牲《ぎせい》者もでていない。

標的とされている式も、毎回無傷で爆破現場から生還している。

「……それだけ仕掛けてピンシャンされていれば、あちらさんも黙っていられないか。で、かかってくるのか、電話?」

「まだ一度も。それよりトウコ、コイツ、おかしいぞ」

「おかしいって、どのあたりが?」

「先読みがすぎる。三度目のは、オレが気まぐれで寄った廃墟でだ。二階の部屋に立ち寄ったら、部屋の真ん中に安っぽい目覚まし時計があってさ。秒針がカチッて零時にあった瞬間、爆発した」

そこまでいくと偶然ではなく必然だ。

蒼崎橙子は爆弾魔に俄然興味を持ち、両儀式は訥々《とつとつ》と、三度の爆破事件から間接的に得た印象を口にする。

曰《いわ》く――この爆弾魔は、動いている屍人《しにん》だと。

その言葉が何を指しているのか、蒼崎橙子には読み取れない。両儀式の印象は動物的すぎて、余人には共有できない感想だからだ。

蒼崎橙子が答えられる事は、〝先読みがすぎる〟という点のみである。

「爆弾魔の話は私も聞いている。その時かららしいとは思ってはいたが――未来視の典型かもしれないな、その彼は」

手持ちぶさたに机を探る橙子。

「所長、買ってきましたー。ピースでいいんでしたっけ?」

タイミングよく唯一の社員が帰ってくる。

目を輝かせて煙草《たばこ》を受け取る蒼崎橙子を見て、また長い話が始まるな、と両儀式は溜息をついた。

†

翌、八月三日。

両儀式は黒桐幹也とは別行動で、この近辺にいたという占い師を捜《さが》す事になった。

所長である蒼崎橙子からの提案である。

聞いたところ、観布子の母と名乗る占い師は高い確率で未来視もどきであり、件《くだん》の爆弾魔その人である可能性があるからだとか。

『ま、十中八九無関係だろうがな。黒桐はともかく、おまえは会うだけ会っておけ。未来視という人種がどういうものか、直接見れば感触は摑めるだろう？』

蒼崎橙子の思惑通り、彼女はあっさり辻占い師に遭遇した。

ビルとビルの隙間、人間一人分の細い路地に昼間から出張っていたのだ。

観布子の母は、およそ万人が占い師に抱くイメージ通りの占い師だった。黒いヴェールで覆った顔に、見せかけの水晶玉。恰幅《かっぷく》のよい女性で、年の頃は五十代を過ぎている。

「爆弾魔ぁ？　バカにしてんじゃないよ。わたしゃ恋愛運とか将来の夢とかね、そういう若者向けの商売やってんだ。アンタみたいな殺人鬼にかける言葉なんてないさね」

邪険に扱われはしたが、不思議と嫌悪《けんお》を抱かせない老女だった。

式は二分ほど言葉を交わし、占い師に背を向けた。

「参考になったよ。アンタが本物かどうかオレには分からないけど、未来が視える、なんて手合いの考えは理解できた」

「……ますます生意気《なまいき》な子だね。アンタにわたしの何が分かるって言うのさ。喧嘩《けんか》売ってるなら買うよ？　手始めに、アンタが全身全霊で一人相撲《ずもう》してる想い人について有ること無いこと教えてやろうじゃないか」

老女のたるんだ頬《ほお》が、不快な笑みをかたち作る。

「――――――」

式は抑えきれない殺気に顔を曇らせたものの、結局、老女の死を視る事さえしなかった。

「おや。あんがい優しいんだねアンタ。こりゃわたしの見込み違いだ。さっきのは嫌味だけど、今度は親切で占ってもいいかい？」

「……間に合ってるからよしてくれ。じゃあな、せいぜい長生きしろよ婆さん。このあたりの夜は物騒だ、年寄りには向いてない」

「あらまあ、今どきイナセな台詞《せりふ》じゃないか！　いい男っぷりだねぇ、惚《ほ》れそうだよ。アンタ、わたしと会った事ないかい？　ゆっくりしてくならサービスするよ？」

「ないよ。ナンパ目的なら占い師なんてやめちまえ」

路地裏を後にする。

ひらひらと手を振る着物姿の少女に、

「そうかい、残念だ。ところで橋は鬼門だからね、気をつけな。……ま、アンタはあれぐらいじゃあ死なないだろうけどさ」

不幸な未来を回避させるという占い師は、からかうように、そんな予言を口にした。

←

占い師と別れ都市の喧噪に紛れた時、懐《ふところ》から聞き慣れない着信音が鳴り響いた。

両儀式は足を止めず、爆弾魔から贈られた携帯電話をプッシュする。

『こんにちは。はじめましてになるかな、両儀さん』

変声機《ボイスチェンジャー》を通った甲高い声。年齢はおろか性別すら判らない。

「どうだか。近くから何度も見てるだろ、おまえ」

『まさか。私は爆弾をしかけるだけです。貴方の前に出る必要性がない。今だって、遠く離れたマンションから話している』

「物好きな上に嘘つきか。いいよ、それより何の用？　話がしたいなら、もっと聞き上手なヤツにしとけ。オレからおまえに言うコトは何もないよ」

『命を狙われているのに？　……おかしな女だ。なぜ、どうして、といった質問はないの？』

「なに。訊《き》けば答えるのかおまえ？　正体不明が売りなんだろ、黙ってろよ。オレだっておまえに興味はない。屍人相手じゃやる気も起きない。これ以上やるっていうなら、つきまとう虫を払うだけだ」

『…………余裕だね。その返答は、視えてなかった』

声は弱々しくもあり、喜んでいるようでもある。

爆弾魔は〝現実〟を積み重ねる。

両儀式はあと二分で死を迎える。

その〝結果《みらい》〟を、今も右目で視つめている。

これから両儀式は橋の上で、停車中のトラックを利用した爆弾によって、衝撃と爆風に巻き込まれる。その未来視を、爆弾魔は特等席で今か今かと待ちこがれている。

『もしかして、自分は死なない、と思ってる？　未来は自分に味方していると？』

「さあ。その時になってみないと分からない。でも、今はまだ生きている」

『死ぬよ。貴方は死ぬ。爆風に飲まれて死ぬ。これは決定事項だ。私にはね、全ての未来が視えるんだ。こうして視えている未来は、決して変わるコトはない』

「────へえ。おまえの未来視は、そういうタイプの未来視か」

『……？』

心なしか、両儀式の声に彩《いろ》を感じた。

かすかな歓喜。喜びではなく悦《よろこ》び。歓楽ではなく快楽。——この獲物は美味しそうだ、と。野生の獣《けもの》が舌なめずりをするような、寒々しくも艶《つや》のある音。

『……は。信じられないのも当然だ。貴方たちには私の視界は理解できない。私の視る未来は絶対だ。絶対なんだ。計算式と同じだよ。数値《いま》が分かってしまった以上、答えは変更のしようがない』

現実とは式の数値が定まらないもの。

答えをだす以前に、何を解くべきかも安定しない変動値だ。

だが——その式の数値を決定してしまえば、解答は揺るぎのないものとなる。

爆弾魔、倉密メルカの未来視はまさにそれだ。

彼は自分が視た〝成功する未来〟を実現させる為に、現実という数値を埋める。

そこに彼の自由意志はない。

趣味趣向、喜怒哀楽、あらゆる希望的観測を差しこむ意味がない。

……そう。正解が見えている以上、間違った行動などできる筈がない。

彼は、仮に——たとえ自分の行動《げんざい》が何一つ快楽のないものだとしても、〝成功する未来〟のビジョンに逆らえない。

彼は未来を視るコトで、自らの過去《いま》を限定させてしまっている。

現在と未来の間を往復する、未来を実現させる為だけの奴隷《どれい》。

それが倉密メルカの未来視である。

「……変えられない未来ね。オレも人のことは言えないけど。おまえ、それ、楽しい？」

『…………さあな。私には、六年近く自分の意志というものが存在しない。視えてしまった未来に縛られた機械のようなものだ。左目の私が本物なのか。右目の私が本物なのか。それとも、その間にいるだけの亡霊なのか。正直、自分でも分からない』

両儀式が橋を渡る。

その三メートル先に、爆薬をしかけたトラックが駐車している。

通過する自動車はなし。橋の終わりに通行人がいるが、巻き込まれても左腕を火傷《やけど》する程度の結果《みらい》だ。

「――――オレにちょっかい出すのは、遊び？」

『……私にそんな余分はない。貴方には顔を見られた。手を出すには十分な理由だ。このまま、遠く離れた赤の他人として処理をする』

「下手《へた》な嘘だ。すぐ近くにいるだろ、おまえ」

爆弾魔の喉がひきつる。

信管に火をともす遠隔装置にかかった指が、かすかに震える。

『いないと言っただろう』

「いるよ。だっておまえは数値を埋めて未来を視るんだろ？　なら、今こうしているオレを視ていないとその先は視えない筈だ」

それが、未来だけを予測する未来視とは決定的に違う点だ。

「当事者でなければ未来は作れない。

間接的であれ、その現場に居合わせること。それがおまえの未来視の条件だ」

『――――』

現実の要素を測定する事で未来を決める以上、たとえ結果が判っていようと、彼は〝その瞬間〟を見届けなくてはならない。彼が視る未来は、彼本人が見る風景である事が絶対の条件だからだ。

だからこそ、彼は三度も失敗した。

一度目も二度目も三度目も、彼は〝爆弾をしかけた現場に両儀式を誘い込む〟未来しか視なかった。直接、彼女が死体になる映像を見なかった。通常なら当然のように死体になるシチュエーションを用意する事で良しとしたのだ。

その結果、両儀式はまだ生きている。

彼女の死体がある未来《ヴィジョン》。

それを未来視しなくては、あの少女は平然と生き延びる――――

「だから、今度は確実に近くにいる。オレの死体が見えるところにいないと、おまえの未来視は成立しない」
一歩。トラックの荷台に両儀式がさしかかった。
爆弾魔が起爆装置《しんかん》を起動させる。
一秒の内に酸化し、熱風を巻き起こす焼夷弾。
周囲をゆるがす爆音と、その爆音の何十分の一かの小さな爆発と黒煙。
両儀式は横合いから吹き付けた爆風に巻き込まれた。
そこまでは未来視の通り。爆弾魔の未来視は絶対に外れない。
だが――直接、血をまき散らし肉を焼いた少女の〝未来の姿〟は、視えていなかった。
〝――なんなんだ、あの女は〟
爆破現場となった橋を望む、五百メートル離れたオフィスビルの屋上。
そこに陣取った爆弾魔は、左目《げんじつ》の目で確かに見た。
とっさに川へ向かって跳躍《ちょうやく》し、爆風に飲まれながら落ちていった少女を。
人だかりとパトカーのサイレンの音。
その中で、川に浮かんだ少女は平然と川べりまで泳ぎ、体を起こす。
――瞬間。確かに、彼は少女と視線を合わせた。

やっと見つけた、と少女は川べりから歩きだす。

これからゆっくりと、確実に、あの獲物を捕らえて殺すと、いびつに歪《ゆが》んだ口元が語っていた。

爆弾魔は恐怖で麻痺《まひ》した思考を振り払い、オフィスビルから移動する。

この結末も予想の範疇《はんちゅう》。

少女の〝死体〟が視えなかった時点で、次の結果《みらい》にも備えてある。

〝――来た。この橋を生き延びてくれたおかげだ。これで、ようやく――〟

追われる恐怖も、成功の確信によって塗り替えられる。

今から十五分後の立体駐車場。

彼はそこで八つ裂きになる両儀式の死体を、鮮明に未来視した。


爆弾魔の未来視は絶対だ。

彼女は十五分後、たとえ世界が滅びるような偶然が起きようと死亡する。

倉密メルカの未来視は確率によるものではなく、現実を合わせた事による必然である。

世界の秩序。事のあらましに逆らう事は、誰であろうと出来はしない。

未来福音／

1

以上がコトの始まりにしてほとんどおしまい。

わたしこと瀬尾静音と、黒桐幹也さんとの運命の出会いなのだった。ばきゅーん。

↓

などと、そんな乙女《おとめ》脳はほどほどにするとして。

「そっか。あんな事があった後だもんね」

困ったように笑いかけてくる黒縁メガネのお兄さん。

往来《おうらい》のまん中で泣き出したわたしに呆れている……のではなく、真剣に気遣ってくれているのがありありと聴き取れた。

自分はともかく、この少女の方が心配で仕方がない、という声。映像より音声にこう、前世の因縁的な拘《こだわ》りを持つわたしの頭をぐらんぐらんにしてくれる。

「もし良かったら、そこの喫茶店で休んでいく？　君も疲れただろ」

お兄さんの指した先には、ドイツ語の看板をかけた、石の要塞みたいな喫茶店が一つ。

えーと、読みはアーネンエルベ。厳《いか》めしいけど、立ち話よりずっといい。

「は、はい。あ、ありがとうございます！」

わたしはみっともなくこぼれる感情《なみだ》を押し止めながら頷いた。

一瞬、警戒心という蛇《へび》がかま首をもたげたけど、しばし考えこんだあと、蛇はやる気なくとぐろをまいて眠りに戻った。

お兄さんの言葉はナンパ以外の何物でもないけど、この人畜無害を絵に描いたような人が下心なんか持っているハズがない、いや、持っていたらそんな世界はそれこそもうどうにでもなーれ、という心境だった。

我ながら、臆病なクセにここ一番で開きなおる性格をどうにかしたい。

「も、もしご迷惑でなければ、わ、わたしもお話しさせてください……！　そ、そのですね、次の電車まで一時間以上ありまして！」

涙は止まったものの、心はいまだ明後日《あさって》に向かって走ったまま。

赤面して取り乱すわたしを見て、お兄さんはまたも困ったように微笑《ほほえ》んでいたりする。

「じゃ、さっきのご褒美《ほうび》ってコトで奢《おご》らせてもらうよ。と、まだ挨拶《あいさつ》をしてなかったね」

今さらながらに軽い自己紹介をする。

お兄さんの名前は黒桐幹也。その音を耳にした時、一瞬、

『――これから一年間よろしくね、瀬尾さん』

まだ見た記憶《こと》も、聴いた覚えもない台詞《こえ》が、目眩の奥に消えた気がした。

◇

喫茶店アーネンエルベはアンティークで飾られた、薄暗くはあるものの落ち着いた空間だった。電灯はついていてなくて、外からの日射しだけが店内の明かりになっている。まるで教会の礼拝堂だ。

「……あの。あんまりお客さん、いませんね」

「うん、正午前なのにね」

なんて、我がことのように苦笑する黒桐さん。

すごい。この無害っぷりは、もう一周まわって犯罪クラスだと思います。

「外見が外見だから、一見さんは入りづらいのかもしれないいな。コーヒーもケーキも美味しいのにもったいない……あ、そっか。静音ちゃんはもっと明るい店の方がいい？」

「し――」

なんかいま、するっと自然にすごいコト言われました！

「い、いえ、そんなコトないです！　こういう雰囲気《ふんいき》なれてますから！　逆に落ち着きます、わたし！」

「良かった。じゃ、窓際の席にしようか」

甘い言葉に誘われるように、わたしは窓際の席に腰を下ろす。黒桐さんは反対側に。

言うまでもなく、テーブルを挟んで向かい合うカタチである。

「――え、えへへ」

照れ隠しに、この上なく間の抜けた顔をするわたし。

「？」

にやけた頬をキッと締め直す。平和でふやけた脳はさっき放り投げたハズなのだ。ぶるぶると首を振って気持ちを切り替える。

わたしは疲れたから、黒桐さんの優しい言葉に乗ったのではない。この見も知らない人に訊きたい事があるから、勇気を振り絞ってこんな校則違反まがいの事を――

「はい、注文《メニュー》。ここのコーヒーは普通のより熱いから、もし頼むなら気をつけて。今日の日替わりは……あれ、昨日と同じだな。残念、ブルーベリーなら文句なしでおすすめできたんだけど」

――したん、だけど。

ちぇっ、と落胆する青年の仕草に、またも頬が緩《ゆる》んでしまうのだった。

「ぁ――い、いや、いやいやいや！」

「？？？」

だから、そういうんじゃなくて！

ほんの十分前に知り合ったばかりの他人。

本来ならお礼だけ言って別れるべき相手に勇気をだして話しかけたのは、子供らしい短絡さからでは決してない。漠然《ばくぜん》としたものではあるけど、この黒桐幹也という人に妙な引っかかりを感じたからだ。

それはわたしにとって馴染みのある〝いつもの風景〟じゃなく、手探りでカタチを確かめるような、わたしが子供の頃に置いてきてしまった、人並みの直感に近かった。

黒桐さんは珈琲《コーヒー》を、わたしはアイスココアを注文する。

メニューがやってくるまでの気まずい沈黙の中、わたしは感情をオフにする。

どんな答えが返ってきても傷つかないよう、五分先のわたしが、現在《むかし》のわたしを眺めているような操作感。

目の前に柔らかいブラウンの飲み物が置かれた時、わたしは完全に、さっきまでのわたしとは別物になっていた。二人のわたしは没交渉。同じ自分のクセに、その実、繋《つな》がる時間《いと》がまったくない。

「さっきのコトですけど。黒桐さんは、なんであんなに信じてくれたんですか?」

ココアには手をつけず、まっすぐに彼を見て質問した。

彼にとってはどうでもいい他人ごと。

けど、わたしにとっては人生に関わる話だ。笑い話で済まされるのならすごくガッカリで、きっと一週間は落ちこむだろうけど、お礼だけ言って別れないと。

「なんでかって訊かれると答えづらいな。……うん。静音ちゃんが一生懸命だったから、じゃダメかな?」

「わたしが可哀《かわい》そうだったからですか?」

意地の悪い切り返しをする。

そんな理由でわたしを見ていたのなら、あのおじさんを追いかけるハズがない。この人はわたしを信じてくれたから、あのおじさんを追いかけてくれたのだ。……それが分かっているクセに、わたしはこの人を試している。

黒桐さんはしばし、よく吟味するように思案して、

「可哀そうだった、というのもあると思う。はじめは君が脅《おど》されていると勘違いしたんだし。でも、それはあくまでこっちの事情だ。あの時点で僕が読み取れたのは、静音ちゃんには嘘を言う理由がないって事だけだった。あの人を騙《だま》しても得はなさそうだったし。と

なると、この子は本気であのおじさんを心配している事になる。事故云々《うんぬん》の真偽はどうあれ、聞き捨てるのは難しい」

それにちょっと思い当たる節もあったしね、と黒桐さんは苦笑いする。

「嘘じゃないから信じてくれたんですか？　勘がいいなんて、それこそ嘘みたいな言い訳だったのに」

「たとえ嘘みたいな話でも、君は真剣だったじゃないか。話の入り口程度を信じるには十分だ。……それに、まあ。最近はこういう話にも慣れてきたところだし」

話の内容ではなく、話す人間の中身を信じる、と黒桐さんは言った。

……それで十分。わたし、瀬尾静音は大きく息を吸って、自分でもどうかと思うほど冷静に、長年培《つちか》ってきた悩みをこの人に打ち明けた。

◇

「わたし、未来が視えるんです」

身も蓋《ふた》もないわたしの告白に、黒桐さんはさすがに目を白黒させて、ず、と珈琲をブラックのまま口にする。

「や、やっぱりヘンですよね、こんな話！」

というかヘンですよねわたし！

「――いや。驚いてるのはこっちの事情だから気にしないで。それより未来が視えるってどういう事？　本当に映像みたいに視えるの？」

意外なことに、黒桐さんはいっそう真剣に、やや身を乗り出して続きをうながしてきた。

「は、はい。映像っていうか、まんま風景が切り替わるっていうか。目眩みたいなものなんですけど」

「それは今も？」

「いえ、いつも視えてるワケじゃないんです。たいていは突然、何の前触れもなく、ぴこーんってランプが光る感じで、するっと風景が切り替わって――」

……〝未来の風景〟は言葉では説明しづらい。

目眩がして、まばたきをした後に〝これから起きる出来事〟を客観的に眺めているのに、わたし自身は後ろを見ている気がするのだ。

バックミラーに映った風景を、バックミラーの風景にいるわたしが見ているような居心地の悪さというか。

「……時間はやけにゆったり感じるんですよ。でも、実際は二秒程度の目眩ですから、もしかしたら時間は進んだり戻ったりしてるのかも、なんて最近は思ってるんですけど……」

未来を視ている時の観測者《わたし》の時間は、それこそ全てが同時進行なのだろう。

さっきのおじさんの事故の風景だって十分ほどの映像だったのに、実際はまばたきの間に把握《はあく》できたし。

「それはいつから？」

一方、説明するだけで手一杯のわたしとは対照的に、あくまで冷静な黒桐さん。

「……これが未来なんだって自覚するようになったのは中学生からです。子供の頃は自分が何を視ているのか分からなかったし、今ほど明確じゃなかった気がします」

「良かった、それは不幸中の幸い……っていうのは失礼だね。子供には子供なりの苦しみがあるんだし。想像する事しかできないけど、辛い事も多かっただろう。静音ちゃんは我慢強いな」

「────」

……いやだ、泣きそう。わたしはまたも、みっともなく取り乱しそうになっている。悲しくて、切なくて、それよりずっと嬉しくて苦しくなる。

こんな苦しさは二年前の冬以来だ。

子供の頃からの遊び相手だった柴犬のクリス。彼の臨終の未来を視た時と同じ。

あの時の冷たさは今も心に焼き付いている。

わたしが家に帰ってくるまで待っていてくれたクリス。

翌朝、小屋の中ではなく、縁《えん》の下で眠るように息を引き取っていたクリス。

その風景を視ていながら、わたしは未来を変える事ができなかった。病院に連れていこうと、一晩一緒に過ごそうと、クリスの臨終は動かせない答えの気がして。わたしにできる事はクリスが望んだ終わりを見てあげるだけなんだと涙した。

クリスの死の悲しみと、わたしを待っていてくれた事への嬉しさでその晩は泣き続けて、翌朝、クリスの現在《死》を見て、わたしはまた泣いた。

人より一回分だけ多く、わたしは悲しい思いを背負わされる。

それをこの人は、口にするまでもなく思ってくれたのだ。

「――あ、あの！」

もうどうしようもない熱意というか、衝動というか、そういうのに突き上げられて声をあげる。手をつけていないアイスココア越しに、当方の敵発見。

なに？　と顔をあげる黒桐さんに、

「た、他意はないんですけど……！　……そのですね。いまからですね、幹也さんと呼んでしまっていいでしょうか!?」

心臓とか舌がおんぼろな懐中時計になったみたい。

ぎこちないわたしの声に、いいよ、と二つ返事の幹也さん。

ウォッシャーと心のギアを一段あげるわたしなのだった。

2

「初対面の人に相談するのは失礼だって分かってるんですけど……わたしの話を聞いてくれますか？」

緊張しきった顔つきで、相談にのってほしい、と少女は言った。

さっきの涙のコトもあるし、喫茶店に誘ったのはこちらの方だし、二つ返事で返答する。

「僕でいいなら。あんまり頼りにはならないだろうけど」

昔から、何か見えないものに押しつぶされそうな女の子には弱いのだ。

「笑わないでくださいね。……率直に言うと、わたし、未来が視えるんです」

なんとなく覚悟はしていたが、改めて言葉にされると驚いてしまう。

喉から声をふりしぼって告白する姿は、弱々しいからこそ、その決意の強さが際だっていた。静音ちゃんは遠慮がちに、こちらの様子を窺《うかが》うように悩みを告白した。

未来視という不可思議《ふかしぎ》な話を、初対面の相手、しかも年の離れた異性にしているのだ。

彼女が目に見えてテンパっているのは当然で、

「た、他意はないんですけど……！　……そのですね。いまからですね、幹也さんと呼んでしまっていいでしょうか⁉」

こんな風に顔を真《ま》っ赤《か》にして言いだしたのも、極度の緊張からくるものだろう。

「うん、呼びやすい方でいいよ。それで、その未来視だけど……どのくらい先まで見られるのかな」

「は、はい！　えっとですね、風景として見えるのは三日先ぐらいです。たまに、風景っていうよりイメージっぽいのがザッと流れてくるんですけど、そういうのは一ヶ月先とか、下手すると一年先とかになります」

「見える未来にも段階があるのか……見える頻度はどっちの方が高いの？」

「……三日先までの風景なら、一日に二、三回視えちゃうんです。さっきのおじさんもその類《たぐい》です。逆に、断片的なヤツはほんっとに、たまにしかありません」

「………………」

視えてしまう、と少女は呟いた。今の言葉の弱々しさと、これまでの会話の内容から、僕なりに静音ちゃんの悩みを理解する。

この子が抱いているのは罪悪感にも似た疎《そ》外感《がいかん》だ。

今日のような事を何度も経験してきた彼女は、他人《ひと》に踏みこむ事を恐れている。

人を信用する、信用しない以前に、未来が視えるという事はその人の人生を〝覗き見〟している事と同じだ、と自分を責めている気がする。

メリットデメリットはあれ、未来が視える、というのは人にはない特別な才能だ。

けれどこの子は、それを利点として認めていない。むしろ――人より特別な自分に劣等感を抱いている。

「……難しいな。僕には分からないけど、未来が視えてもいいコトはない？」

「そういうワケじゃないいんですけど……テストの内容とか先輩の呼び出しとか、事前にぜんぶ分かるから、学校じゃ優等生ですし。ちょっと前まで学年トップでした。……頭がいいワケじゃないのにヘンですよね」

真面目《まじめ》に頑張ってる友人、
律儀に、こつこつと積み重ねてきている友人たちに謝るように少女は呟く。

未来を視るのは反則行為で、自分はいつもズルをしている、と彼女は自分を責めている。

「……そっか。こういうのも才能を持て余すって言うのかな」

「はい。わたしなんかには勿体《もったい》ないです」

力なく頷く静音ちゃん。

……けど、この悩みはもっと根が深い。彼女自身口にしないが、翳《かげ》りの原因は未来が決まっている事への諦観《ていかん》ではないだろうか。

たとえば、世の中は長い絵巻で、自分だけ先を見ているとしたら前向きではいられない。

未来を知ってしまった事への達観から、ではない。

究極の疎外感――もしかすると自分は絵巻の外にいるのではないか、という不安の方が何倍も恐ろしいのではないか。

「一つ訊くけど。静音ちゃんは未来が視えるのが怖いの？」

「……分かりません。わたしにとっては当たり前すぎて、未来が視えちゃうコト自体、いいも悪いもないいんです。ただ……いつか、どうしようもない未来を視ちゃうかもしれないのは、怖いです」

たとえば自分の死。

たとえば、かけがえのない隣人の死。

確かにそれは、変えられないのであれば一度きりで済ませたい光景だ。

「でも、まだそういうのは見たことはないいんだね？」

「ぁ……は、はい。うちの犬の時は、なんとなく分かってたっていうか……事故じゃなかったから。けど、今日みたいな事故は怖いです。知ってる人の死とか、未来を視せられるのは寂しぃんです。……だからずっと怯えているっていうか、モヤモヤするっていうか。けど、そういうのも結局は他人事で、わたしはいつも自信がなくて、ふにゃふにゃしてるというか――あは、なんかメチャクチャですよね。怖いのに怖くないとか、自分でも曖味なんです。……なんでなのかな。今までずっと怖がってたから、もうそういうのには慣れちゃったのかな」

はっきりと言語化できない重みに、少女はずっしりと両肩を落とす。

「怖いのとは違う。それは単に——」

「？　単に、なんですか？」

きょとん、と顔をあげる静音ちゃん。

……さて。

ここでその結論を口にするのは忍びないし、なにより何の解決にもなっていない。

この子は精一杯《せいいっぱい》の勇気で悩みを打ち明けてくれたのだから、こちらも出来るかぎり役に立つところを見せないと。

「いや、その話は最後にしよう。未来を視てしまう話の続き、いいかな」

未来視がどういうものか、どのぐらい先まで見通せるのかは聞いた。

残った疑問は条件ぐらいだ。未来視の理屈付けは僕にはできないし、そのあたりの話はとっくに教えてもらっているし。

「たとえばさっきのおじさんの例だけど。静音ちゃんはあの人とは初対面で、この街も初めて？」

「いえ、観布子には何度も来てます。うちの学校から比較的近い街だし」

「じゃあ今日は電車で来たの？」

「いえ、蝶野台《ちょうのだい》からのバスでした。十一時ぐらいにこっちに着いて、すぐ目眩がして」

「……蝶野台からのバスっていったら、僕と同じ方向か……あのおじさんとはどう知り合ったの？」

「話しかけたのは未来を視ちゃった後です。その前は……あれ、どうだったかな……バス停ですれ違った……とか。あれ、でも――」

「バス停に降りてすぐ目眩がしたんだよね。もしかして、あのおじさんは一緒に乗っていて、先にバスから降りたんじゃないかな」

「あ。言われてみればそうでした！」

「なるほど。橙子さんの言葉を借りるなら、たしかに辻褄《つじつま》は合ってるな」

「はい？」

首をかしげる静音ちゃんをよそに、財布から名刺《めいし》を取り出して、裏にちょっとした文章を書く。

「？？」

ますます不思議がる静音ちゃんに見えないよう、名刺を表にしてテーブルに放置。

――さて。あとは最後の質問をするだけだ。橙子さんのようにうまく出来ればいいんだけど。

「長くなったけど、これが最後の質問。静音ちゃんは未来が視えるコトが怖いの？　それとも、未来が決まっているコトの方が怖いのかな」

え、と目を丸くする静音ちゃん。

彼女はしばし悩んだあと、アイスココアのグラスを両手に持って、

「……どっちも怖いですけど。あえて言うなら、後者です」

唇をとがらせて、自信なげに返答した。

「うん、なら安心だ。相談された年長者として断言してしまうと、静音ちゃんの不安はまったくもって見当違いですので、もっと胸を張っていいのです。そういう未来なら、むしろじゃんじゃん視るといい」

「ひゃ!?　ややや、ヤですそんなの！　幹也さん、わたしの話聞いてましたか――――!?」

「もちろん。聞いたかぎり、君の未来視は悪いモノじゃない。ま、広い世の中だ、そりゃあ一人ぐらいは未来を覗けてしまう厄介《やっかい》な人がいるかもしれないけど、静音ちゃんの未来視はそういうのじゃないからね」

「はい？」

人の才能に善悪はないが、人間《じぶん》の人生にとって、その才能がどちらに働くものかの判別は僕にだってできる。

「未来視には幾つか種類があってね。

これは人の受け売りなんだけど――」

そうして、僕はつい昨日聞いた未来視の解釈を語りだした。

†

衝撃の給料未払い。社員は自己裁量で金銭を都合するべし、という所長の問題発言は、八月に移る前に撤回された。七月の終わり。建築デザイン業も兼ねている我が社、伽藍の堂に救いの入金があったからだ。

振り込みはとある高級ホテルから。観布子市ではなく、ふた県ほど離れた都市の話らしい。

〝ああ。そう言えば、こっちに落ち着く前に片手間に受けてたっけ〟

所長・蒼崎橙子は突然の入金に喜び、唯一の社員である黒桐幹也は、仕事料を成功報酬にしておきながら完全に忘れていた上司の磊落《らいらく》さに頭痛を覚えた。

気を良くした蒼崎橙子は何の気まぐれか、社員と、社員の友人Aをお伴にし、普段の彼女なら敬遠するであろう落成パーティーに出席するも、会場でちょっとした珍事に巻き込まれ、事務所に帰還。

数日後。蒼崎橙子は社員の友人Aと、その後始末について話し合う事になった。

「現場には犯人の犯行声明があったそうだよ。爆破時間から被害規模、怪我人の数からその傷の詳細まで、正確に記入されていたそうだ。警察は爆破予告と見ているけど、どうだか。実に簡素な内容でさ。どちらかというと報告書のようだった」

「報告書、ね。オーナーへの恨みとか、義賊的な正義感で騒ぎを起こしたワケじゃなくて、あくまで仕事としてこなしたってコトか？」

「爆弾魔とやらに依頼した側には人間らしい思惑はあっただろうがな。どこの業界もシェア争いは過酷だよ。直接攻撃は短絡的すぎるが、嫌がらせ程度なら効果はあるだろう――ま、そのあたりの事情は実行犯には関係のない話だ。問題は、この後腐れのない事で定評のある外注《ばくだんま》が、なんでか私たちにつきまといだしてねぇ。式、おまえあの夜はどこにいた？」

「別に。景色が悪いんで外に出てただけだ。それより。その犯行声明ってヤツ、やっぱり未来を言い当ててるのか？」

度重なる爆破予告と、その再現。

警察の追跡をあざむき、包囲網をすり抜けるその手際は、人間一人が持てる能力の範疇を超えている。

警察という組織力をくぐり抜ける爆弾魔の行動は、何らかの奇蹟がなければ説明できない。

非現実的な物言いをするなら、透明人間や百面相。

かろうじて現実的に言うのなら――

「予知能力。あらかじめ未来の像を知る事のできる、未来視の持ち主ぐらいだろうさ」

常識に対する特権者である魔術師《かのじょ》は、不愉快そうに言い捨てた。

←

「所長、予知能力ってホントにあるんですか?」

「あるよ。色々と種類があるんで未来視とひとくくりにされるけどね。基本的には〝視る〟だけの異能だ。未来からの交信を受け取るだの、未来を視る事で並行世界にシフトするだの、眉唾《まゆつば》なものは含まない。この男は先天的な超能力者だろうから、魔術でいうところの予見、神託でいうところの預言とはまた別物だろう。

人間の機能のみに依った未来視は、予測と測定に分類される。とりわけ多いのが未来予測の方でね。高度なものになると、予測内容を映像として脳内に再現する」

「……ちょっと待ってください。それが本当なら、この犯人を捕まえるのは警察でも難しいって事ですか」

「警察なら簡単だよ。包囲の網を広げればいいだけだ。どんなに未来が視えていようと、人間一人の性能には限界がある。空でも飛べないかぎり社会からは逃げられないさ。

だがまあ、警察は外部に情報を与えすぎるからな。未来視にとっては視えやすい相手だろう。今の対策本部の規模なら手玉にとられ続ける。未来視を捕まえたいなら大人数で長期戦にもちこむか、突発的な不運に頼るしかない」

「突発的な不運……たとえば、交通事故ですか?」

「そうだ。自動車や電車では未来視にとって突発的、とまではいかないが、とにかく日常生活ではおよそ考えもしない不運がいい。

――ああ、自然災害じみた誰かさんに狙われる、というのも予想外《とびっきり》の不運だな。未来視は未来を視ているワケじゃない。読めないものは視えないんだよ」

「……? 未来を視ているワケじゃない、ですか? でも未来を視るんですよね、彼らは」

「だからさ、あくまで予測なんだ。例えば、二日後に殺される被害者Aと、Aを殺す加害者Bがいるとする。未来視はこの両名を実際に見るだけで事件の結末を視てしまう。経歴も名前も、それこそ理由も分からないのにね」

「なんだそれ。理由もなしで分かるなら、そんなの未来を視てるんじゃない。ただの直感じゃないか」

自分にも出来る、と言いたげな社員の友人Aに、蒼崎橙子は辛辣《しんらつ》に笑いかける。

「おまえと一緒にするなよ式。おまえのは聞くだけ、想像だけで結末をたぐり寄せる第六感。一方、未来視には根拠も確証もあるんだから。

いいかい。人間は様々な文化、知識体系を築き上げて霊長類の頂点に立った。身体機能のみならず、脳の使い方も進化させたという事だな。だが進化というのは、その環境にあったカタチに適合する。使わない機能、生存に負担をかける機能は削《けず》られていくんだよ。より安いコストで代用がきくのなら、優れた機能であろうとフタをするのが生命だからね。未来視はそういった、安全の名のもとに消え去った〝人間が本来持ち得た機能〟の一つにすぎない。

簡単に説明すれば、彼らは〝忘れない〟人間だ。

人間が普段見ている映像。こうして話しているだけで得ている情報というのは、本当はとんでもない情報量なんだが――――彼らはそれを無意識のうちに拾っている。本来なら脳に負担をかけてオーバーフロウしかねない〝視覚で得たすべての情報〟を、棄《す》てずに記録しているのさ。言葉だけでなく声、臭《にお》い、テンポ、更にはこの部屋の壁の染み一つまで、無意識にね。

そういった万象の情報が有機的に混ざり合い、その配置なら必然として導き出される結果が判明した時、彼らは映像として未来を視る。未来予測は直感ではなく、高度な情報処理にすぎないんだ。式のように、ただなんとなく、で先を読めるキワモノじゃない。彼らは一部分だけ機能が退化した一般人なんだよ」

「……？　そんなすごい事ができるのに退化なんですか？」

「ああ。知的生命として進化した人間は、賢い取捨選択によって必要な情報だけ拾うようになっている。今の人間にとって、文明社会は複雑すぎて処理しきれないものになっているからな。

言うまでもないが、我々がいる環境と、個人が認識する世界にはズレがある。個人が捉える世界は、その個人の価値観によって補正される。何が必要で何が不要か、という選択に個人差があるのは分かるだろう？

巫条《ふじょう》ビルの一件と同じだよ。本来、世界というのは五感すべてを用いて、すべてが連結した〝統合《ひとつ》〟の像として捉えるのが正しい。だが無駄だ。たとえようもなく、そんな情報処理は無駄なんだ。なにしろ視覚以外の外界認識は、文明社会においてあってもなくても大差はないからね。私適化、適応化が私たち人間の最たる長所だ。私たちは猿人から抜け出した時点で自然との関わりを失い、五感をそれぞれ単一の機能として使い始めた。関わりのないものにいちいち気は向けない。

精神の省エネだよ。何であれ労力は減らすにかぎる。我々は自分にしか興味がないから、自分に利益をもたらす情報《じじつ》しか拾わない。それが自身をより速く、確実に成長させる方法だと千年かけて理解したからだ。

先ほどのたとえ話だが、被害者Aと加害者B、このどちらかを見ても未来視は〝殺される、殺す〟未来を視てしまう。犯人像は視えないが、Aだけでも結末を読み取れてしまうんだ。これはAの生活習慣や、A自身が意識していない無意識の危険感知すら読み取った結果だが――――常にそんな処理をしていたら、人間は情報の重さで潰《つぶ》れてしまう。

未来視はもう必要のない力だ。それに代わる機器はとっくに発明され、日々進化し続けている。いずれ、カタチのない未来を予測する人工知能が、人間に追いつく日も来るだろうしね」

本来、視覚や聴覚が得ている情報。

知性が持つ未来への展望、予想。

それらを統合し、現実の域にまで高めたモノが未来視だ。

彼らは〝数分後の未来〟を視ているのではなく、

現実を作り出す〝数分後の結果〟を視ている。

「……ふうん。でもコイツは違うぜ。コイツは何も見ていない」

「？　何の前提もなく未来を見るのは、もう予測とは呼べんぞ。それは特権ではなく越権行為だ」

「……その見るじゃないんだけど、いいか、面倒だ。とにかく未来視には二種類あるってコトだろ。トウコ、予測と測定の具体的な違いってなんだ？」

魔術師は予測と測定の違いを語る。

実際に役に立つのは測定であり、犯罪者として危険なのも測定だと。

――一方。

人として正しいあり方は予測であり、両儀式にとって相性がいいものは――

「ま、たられればの話をしてもしょうがない。未来視の話はここまでにして、と――幹也くん、お茶いれてくれない？　喋《しゃべ》りすぎて喉渇《かわ》いちゃった」

「はい、ただいま。……でも所長。もし未来視の人に会ったらどうすればいいんですかね？」

「ん？　予測の方の未来視なら放っておいても構わないんじゃない？　比較的、社会にかみ合いやすい人たちだもの。第三者がきちんと助言してあげれば、きちんと折り合いをつけてやっていけるわ」

3

幹也さんは淡々と未来視について説明してくれた。未来を積み上げるのが測定で、未来を読み上げるのが予測で、わたしの未来視は予測なのだとか。

それはともかくとして、

「うん、今日のもいい出来だ」

いつのまに注文したのか、美味しそうなミートパイを食べてるのはどういうコトか。

……さっきまで深刻な話だったのに。目の前でそんな、幸せそうに舌鼓《したつづみ》とか打たれると空気が弛緩するというか、雑談をしているみたいで心外だ。わたしだって黙っていられない。

「……記憶力がいいだけ、なんて言われても実感湧きません。わたし、そんなに頭良くないし」

「意識していたらそれこそ危険だ。きっと未来視の機能は実生活――小我っていうのかな、静音ちゃんの実生活には関わらないよう切り離されているんじゃないかな。それが希《まれ》に、条件があうと繋がって映像が切り替わるとか」

もっともらしいコトを言いながら、もむもむとミートパイを乱獲する幹也さん。

……我慢もここまで。いよいよ、わたしも黙っていられなくなった。

「すみません、このオレンジとヒマワリのミックスパイをお願いします！」

店員さんにメニューを注文する。

幹也さんはやけにニコニコ顔でわたしを見ている。

ほどなくしてパイはやってきて、そもそもヒマワリって食べられるんだっけ？　などとワクワクしながらフォークを手に取る。

そんなわたしに優しく頷く幹也さん。

「とまあ、色々言ったけど、全部受け売りだから聞き流していいよ。僕が君に言えるコトは一つだけだしね」

「な、なんでしょうか……？」

ご馳走《ちそう》を前にしてやや緊張気味のわたし。

そこに、

「静音ちゃんはそんなに特別ってワケじゃないよ。未来が視える程度、そう気にする事じゃないだろ？」

聞きたくもない、ありきたりの励ましがぶっかけられた。

一番言われたくない言葉は、冷水となってわたしの体温を一気に下げる。

「……幹也さんは視えないからそんなコト言えるんです。

視えない人に、わたしの気持ちは――――」

分からない、と。

最低の言葉を、かろうじて呑みこんだ。

「実は僕も、少しだけ未来が視えるんだ」

わたしの気持ちもお構いなしで幹也さんは軽口を続ける。

……酷い裏切り。持ち上げておいて落とすなんて、この人、ホントは悪魔なのかもしれない。全体的に黒いし。

「適当なコト言わないでください。口だけなら誰だって――うえ？」

我が目を疑う。幹也さんはさっきテーブルに伏せた名刺をひっくり返してわたしに見せてくれた。開けてびっくり、〝静音ちゃんがオレンジのパイを注文〟という走り書き。

「ほらね、すごいだろ」

「…………それは、そうですけど」

ぷくーっと頬が膨らんでしまう。こんな子供騙しが通じると思うぐらい、わたしは子供に見られてたんだろうか？

「バカにしないでください。こんなの当てずっぽうじゃないですか。先のコトなんて考えれば誰でも分かります。わたしが言ってるのは、変えようのない、現実になっちゃうですね、」

「確定した未来、というならさっきの男の人は別になるね。静音ちゃんの視た未来と、現実の結末は違ったんだから」

「――――」

あ、と声をあげて固まった。

逆上《のぼ》せあがった頭に、バケツいっぱいの冷水をかけられた気分。

「……そっか。助けられたん、ですよね？」

「もちろん。静音ちゃんのおかげで助けられた。バスに乗っている時、視界の隅にあの工事現場を見て、同じバスにいたおじさんをじっくり観察して、彼がバス停から工事現場の方角に足を向けた時、すべてのパーツがかみ合ったんだろうね。ほら。この名刺裏に書いた予測なんて比べものにならないけど、行為自体は同じなんだ。

君は当たり前に未来を想っているだけなんだよ。……うん、ちょっと人より長さの程度は違うけど、それは後ろめたく思うものじゃない。いま静音ちゃんが言ったじゃないか。未来の事なんて、考えれば誰でも分かるって」

幹也さんの言葉は、するっとわたしの心に入ってくる。どうというコトはない、よくある平凡な言葉なのに、

〝――――後ろめたく思うものじゃない〟

その響きが、胸に染みついた泥を落としていくようだった。

「……あの。当たり前、なんですよね？」

「そうだよ。人間は誰だって未来を見て生きている。五分後の自分、一日後の自分。人によっては一週間後、一年後の自分も見ているだろうね。それは未来視なんて確実なものじゃない、もっと漠然とした、こうありたいという予想にすぎないけど。今の自分を頼りに、未来を夢見ない人はいないんだ」

淡々と、けれど力強く幹也さんは語る。

未来を視るだの、変えるだの、そんなのはわたしが勝手に抱いている錯覚だ。

だって、まだ生まれていないものを変える事はできない。

人間にとって、未来はつねに〝想う〟だけのもの。

わたしは未来視によって未来を覗いたり、変えたりしているんじゃなく、現在《いま》を生きるコトで、未来を作っているんだって。

たとえどれだけ結果が視えていようと、未来はまだ決まっていない。

もし変えられない未来を視たのなら、それは未来を視たのではなく、未来を決定してしまったコトに他ならない。

わたしにはそんな大それた力はないし、だいいち――

「……わたしが視る未来って、たいていは辛いものでした。わたしが笑ってる未来はなかったんです。それって、つまり――」

「うん。君の視る未来は、きっと警告なんじゃないかな。こういうコトが起きるから、悔《く》いのないよう頑張りなさいっていう」

……声は静かに響く。

わたしに伝える言葉は、彼自身がそうあってほしいと願う、尊い祈りのようだった。

←

「と。それはそれとして、ですね。三日先のコトとか、試験の範囲が分かっちゃうのは、やっぱり問題だと思うんですけど……」

そうなのです。

幹也さんは正しいけど、やっぱりそれは視えない人の答えというか。わたしには悩みは独りよがりなものだって分かったけど、肝心の解決策らしきものが――

「うん。だから、三日先のコトじゃなくて、四日先のコトを思いなさい」

……て。とんでもなく優しい笑顔で、幹也さんは提案した。

「そ、それは、どういう?」

「静音ちゃんに分かるのは三日先までなんだろう? なら、その先の事を思ってやっていけばいい。僕らはせいぜい一時間、一日後のことしか考えられないけど、君はその基準をずっと先に延ばすんだ。難しいだろうけど、そこはそれ、特別な目をもった代償ってコトで。未来視は治せないし、だいいち、治すのも勿体ないしね」

にっこりと笑う。

……すごい。なんか一瞬、幹也さんに黒い尻尾《しっぽ》が見えた気がした。

特別な人間にも、特別な力を持っただけのハンデが必要だと幹也さんは言ったのだ。

もしくは、特別な力はそれだけの重荷とセットという事。

……この人はわたしの悩みと弱さを同時に指摘《してき》した。

うだうだ悩んでいる暇があるなら、まずその力を使いこなすこと。

わたしがいつも抱いている、〝自分だけズルをしている〟という負け犬思考を根本からたたき直す、辛辣だけど温かい一言だった。

「……まいりました。幹也さんって、優しそうに見えて厳しいんですね」

幹也さんは、む、と心外そうに眉《まゆ》をよせる。

厳しい、という言葉にではなく、優しそう、という言葉に異論があるらしい。

一瞬、友人らしき人影に童顔め、とからかわれている幹也さんの姿が視えた気がした。

「あの。その名刺、貰っていいでしょうか？　今日の記念にしたいので」

「えっ……いや、どうだろう。僕の名刺なんて使い道ないけど……まあ、名刺なんてそんなものか」

幹也さんはちょっと照れながら名刺をくれた。

……うん。色々あったけど、ホントに驚くべき事はこの人の洞察力だ。

幹也さんはあの時点でわたしの悩みを把握して、わたしを納得させるだけの伏線を張っていた。未来視なんてなくても、明るい未来を作ってくれたのである。

まあ、それでも、

「ところで、微妙に外れてますね」

「……面目《めんぼく》ない。まさか今日のお薦《すす》めじゃなくて、その横にあるチャレンジメニューを選ぶとは思わなかった」

幹也さんの未来視にはヒマワリ分が足りなかった。

この通り。ちょっとした限界があるのも、人間らしい希望《ゆらぎ》なのでした。

／未来福音・了

では、彼の最後の話を視よう。

／4／4／

†　　　　　　†

一九九八年八月三日、午前十一時四十四分。

JR観布子駅からやや離れた大型デパート、その立体駐車場の三階に、両儀式は足を踏み入れた。

未来は既に決定されている。

この場所まで追いかけてきた時点で、彼女の死は覆《くつがえ》らない。

彼女の移動ルートが爆弾魔の視た結果から外れる事もなければ、たまさか、気まぐれで帰る時間を早めた親子連れの姿もない。

これより一分後。

両儀式はエレベーター口から現れる、買い物袋を抱えた親子連れに意識を向け、三方から爆散飛来する千五百個もの鋼玉を受け、腑分《ふわ》けされた肉片となる。
彼は、それを二十メートルほど離れた大型車《ワゴン》の陰からはっきりと視つめている。
人気のない駐車場。
外の世界より何段階も弛緩した空気。
橋で起きた爆破事故もここでは彼岸《ひがん》の話だ。
救急車の呼びかけも、パトカーのサイレンも上の空。
遍《あまね》く漠《ひろ》く差別なく。ここでは全てが、起きていながら活《い》きていない。
「よう。追いついたぜ、爆弾魔」
両儀式は手にした携帯電話に語りかけて、指を離した。
コンクリートの地面に携帯電話が落ちた。
少女は背中の帯からナイフを引き抜いた。
その両眼が、青い光を帯びて、結果《みらい》を持った周囲を睨む。
駐車場に音はない。
夏の日射しが、闇のように濃い影を形《つく》る。
両儀式はナイフを手にしたまま、見えざる爆弾魔に向かっていく。
その途中、彼女の右側にあたるエレベーター口から親子連れが現れる。
一瞬の間。

彼は遠隔操作《ばくやく》のスイッチを押す。

ほぼ同時に。両儀式のナイフが、中空を切るように閃《ひらめ》いた。


一秒の後。

両儀式は、爆発によってばらまかれた二ミリの鋼玉を全身に受け、人としての原形を留めぬまま、なすすべ無く即死した。


一秒の後。

倉密メルカの未来《しかい》は、まるで眼球を直接袈裟《けさ》切りにされたように、二つに断たれながら消滅した。

「っ、ぎ――――!?」

激痛に右目を押さえる。

両儀式は急ぎもせず、変わらぬ歩幅で大型車へ足を進める。

「は、な、なん――――!?」

突然の暗転《ブラックアウト》。

理不尽な激痛。不可思議な現象。

混乱しながら、爆弾魔は必死に遠隔操作のスイッチを押し続ける。

だが爆薬に反応はない。信管の不具合？　配合のミス？　それとも遠隔操作《リモコン》の故障？　いや、そのどれもあり得ない。そうならないように現実を積み上げた。爆弾魔の用意した未来は何一つ変わっていない。

ただ――――爆弾が、それらをすべて無視した偶然で、作動しなかっただけの話。

「そんな、はず、は――――！」

脳内に駆けめぐる恐慌。

爆弾魔自身、忘れて久しい未知への恐れに戦慄する。

光を失った右目の痛みに耐えかね、倉密メルカは胎児《たいじ》のようにうずくまる。

「トウコもよく言ったもんだ。判りすぎるから見えなくなる、か。聞こえるか爆弾魔。何も見ていないのなら、そっちの目は要らないだろ」

声が聞こえる。爆弾魔は残った左目で、なんとか退路を探そうと視界を広げる。けれど、当然の事ではあるが、彼には〝逃げだせる未来〟が欠片《かけら》ほども視えなかった。

「ただの予測ならあっさりオレを殺せたかもしれないのに。言うまでもないけど。おまえの場合、はっきりと視えすぎたんだよ」

「っ、っっ……！」

足音が近い。もう五メートルもない。

大型車の裏に回られた時点で、彼は彼女に殺されると理解する。

そんなもの、未来視がなくても想像できる確かな結果なのだから。

「なんで、なんで――――!?」

殺される事への恐怖はあまりない。ただこの結末が疑問すぎる。

彼はずっと結末《みらい》を信じて生きてきた。結末《みらい》に縛られて生きてきた。その絶対的な信仰、逃げようのない呪いが、なぜ、今になって――――今ごろになって、崩れてくれたのか。

「なんで、あの未来が変わったんだ!?」

「変わったんじゃない。もとから未来ってのは無いんだ。無いものに手は出せない」

――――魔術師は語った。

予測と測定の違い、起き得る未来の可能性を視るものと、起きる未来を限定してしまうものの違いを。未来を自らの意志で決定させる未来測定は、未来予測を上回る異能である。

だが――――

「未来ってのはあやふやだから無敵なんだ。けどさ。それにカタチがあったら、壊れちまうのは当然だろう」

決定された未来像は、既に未知ではない。

カタチのあるものなら死の概念が適用される。

両儀式にとってそれは、螺旋《らせん》のねじ巻きより鮮明な〝殺す〟対象になる。

「偶然には手はだせないけど、必然には手をだせる。じゃあな爆弾魔。結果をはっきりとカタチにした時点で、おまえの未来は行き止まりだったんだ」

足音が、彼のすぐ近くで反響する。両儀式は当然のご褒美とばかりにナイフを振り上げ、大型車の陰に隠れた獲物と向き合って、

「――――なんだ、おまえ？」

この結末は予測していなかった、と。

彼女は数秒ほどあっけにとられて、爆弾魔の最期の呻《うめ》きを見届けた。

◇

八月三日、十一時五十分。

立体駐車場の爆発事件は、五分遅れで現実となった。

ばらまかれた鋼玉は駐車している自動車、コンクリートの壁や柱を無惨に引きちぎったが、奇跡的に死傷者は無し。

家族をかばった父親が軽傷、十四歳になる子供が重傷を負ったが、駆けつけた救急車によって無事保護され、事件は解決した。

以後、倉密メルカという爆弾魔は現れる事はなく、事故現場に着物姿の少女がいた、という記録もない。

——その後。

爆弾魔との出来事をきれいさっぱり記憶から削除し、上機嫌になった両儀式はすぐに別の不機嫌のタネを見つける事になる。

彼女が待ち合わせ場所に入らず、炎天の下、じっと外で佇《たたず》んでいた理由は、神ならざる余人には与《あずか》り知らぬ事である。

5／

夏休み最後の日。

礼園女学院の寄宿舎に帰ってきたわたしを、黒髪のナオミちゃんが迎えてくれた。

「おかえりー。なんか面白いコトあったー？」

ナオミちゃんはいつも通りのナオミちゃんだ。

自分に起きた個人的な悲劇をおくびにもださず、洒脱《しゃだつ》でけだるい、今どきの女子高生然として振る舞っている。

「面白いコトはなかったんだけど、目新しいコトなら一つ。ワタクシ、この度はじめて失恋というものを経験しました」

えっへんと胸を張る。

ナオミちゃんは珍獣を見るような目をしているけど、まあ、今回だけスルーしよう。

「ちょ、シツレンってあの失恋!?　瀬尾、実家にはオヤジ衆しかいないって言ってたじゃん！」

「それがですね、家に帰る前にちょっとした出会いがありまして。あ、ＣＤ買ってきたよ。いま持ってこようか？」

「あー……いや、ゴメン、ちょっと別口で入手しちった。だぶったからあげるよ。それよりシツレン！　瀬尾のシツレンの話しようぜ！」

ピラニアの如《ごと》き食いつきの良さだった。

女の友情の美しさと恐ろしさを噛みしめつつ、わたしは夏の思い出を再生する。

未来視云々は伏せておいて、とある街中、些細な偶然から知り合って、一時間だけお茶を一緒にした、黒ぶちメガネのお兄さんのお話だ。

コトの始まりからおしまいまでを聞いたナオミちゃんは、不機嫌そうに溜息をひとつ。

「あれ、つまらなかった？」

「いや、面白かったけど。瀬尾さあ。言いづらいんだけどさ、そりゃコイじゃないよ」

やっぱり。

その言葉を、わたしは三日前から知っていた。

「ナオミちゃんもそう思う？」

「おう。アンタのはただの憧《あこが》れ。アイドルに熱をあげてキャーキャー騒いでるだけの、幸せなファンさね。コイってのはもっとこう、破天荒《はてんこう》でみっともなくて、おまけに予測がつかなくて、いきつく先は衝突かゴールしかないジェットコースターみたいなもので、ぶっちゃけ、キレイな思い出なんて何も残らなくてだね……」

わたし以上に乙女回路フルスロットルな恋愛観を炸裂《さくれつ》させるナオミちゃん。

言われるまでもなく、わたしもそうだと納得している。

あの時の感情はホント刹那《せつな》的な恋慕《れんぼ》で、好きは好きだけどその先のコトを一切考えないという、実に子供っぽい感動だったのである。

でも、ナオミちゃんの言う通り、とても幸せな時間だった。

コイでなくても勘違いでも、わたしはあの日の一時間を、失恋としてずっと覚えていようと決めている。

「まあいいけど。ところで、その男ってどこの——」

ナオミちゃんの質問が、かつてのわたしの問いに重なる。

あの日の別れは、たしかにそんな質問から始まった。

◇

「あの。ところで、黒桐さんってどこの生まれなんですか？」

「ん？　中高大学、ずっとこの街だけど、どうして？」

「い、いえ、わたしもよく分かりません。なんか聞いておかないといけない気がして」

なぜかホッとするわたし。

いつもの悪い癖《くせ》が出てしまったけど、もしかしてこれも、より確かな未来を視るための条件集めなんだろうか。

——一方。

幹也さんはちらりと窓の外に目を向けていた。

薄暗い喫茶店とは対照的な、真夏の日射しに照らされたビルの街。

そこに、ちょっと目立つ人影があった。着物……紬《つむぎ》をさらりと着流した、格好いいお兄さん——じゃ、なくて、

／／／

血。血。血。

夥《おびただ》しいまでのゼリービーンズ。

ひりつくようなタコソース。

血まみれの金属と、血まみれのコンクリートと、血まみれの女の人と、血まみれの黒い服。

／／／

「——————」

今までにない強烈な目眩に、現実の時間感覚さえすっ飛ばされた。

わたしの未来視が情報処理による演算だというのなら、あの着物の人はいるだけで容易に未来を予測させる、強烈なファクターだ。

「ずいぶんと時間が経ったね。そろそろ出ようか」

幹也さんは時計を見ながら伝票を手に取った。

わたしは、いま見た風景がなんであるか——いや、そもそも断片的すぎて特定すらできなかった——を必死に飲みこんで、目眩を振り払う。

「あ、ありがとうございました」

お礼を言いながら、上目遣いに幹也さんを見つめる。

席を立たないわたしを咎《とが》めることなく、幹也さんは話の続きを待ってくれる。

わたしはぐっと、本日最後の勇気を振り絞って、

「あの……未来視は珍しくない、そういう知り合いがいるって言いましたけど……それって黒桐さんの恋人ですか？」

「はい!?」

ものの見事に、自分から地雷を踏んだのだった。

「あ、いや、うん、どうかな」

驚きながらも照れる幹也さん。その視線は窓の外の、着物の美女を意識している。

でもショックなのはこっちのが数倍上だ。

ああ、さよならさよならハートブレイク。あまりにも短い夢でした。だってアレにはガチで敵《かな》いません。力ずくでも恋の勝負でも、百回やって百一回は殺されそうな実力差です。

「驚いたな。もしかして視えたの？」

照れかくしに訊《たず》ねてくる幹也さんの仕草は、こう、色々犯罪的だ。

ますますガッカリとくずおれそうなわたしではありますが、今はそれよりもっと大切なコトがある。

「いえ、どんな人かまでは分かりませんけど……そのですね、怒らないで聞いてください。……あの。このままその人と付き合ってると、幹也さんはいつか命を落とします」

「————」

時間にして五秒ぐらい。

わたしにとっては凍《こお》りつくような沈黙。

幹也さんはきょとんとしながら、それでも、決して笑い飛ばさなかった。

……後になって思うと、失恋したというのなら、この瞬間にこそわたしは失恋したのだろう。

幹————いや、黒桐さんは穏やかな表情《かお》で、わたしの未来視を受けとめた。

「そっか。ありがとう、静音ちゃん」

……この時の彼の仕草を、わたしは一生忘れない……は言い過ぎたけど、できれば一生、忘れたくない。

だってさっきまでの説明も、助言も、この笑顔には敵わない。

この人はわたしの未来視を信じてくれた上で、より強く、自分の未来を信じたのだ。

「でも詳しい話は聞かないでおくよ。怖いけど、聞いちゃったらその時に、大事なコトができなくなりそうだ」

苦笑しながら席を立つ、黒ぶちメガネのお兄さん。

自分の運命より、その時に逃げだす事の方が怖いと彼は言った。

その強さに、心からの尊敬と憧れを。

たった一時間の出会いでも、わたしにとっては何物にも代え難い導きでした。


そうして、わたしたちは喫茶店の前で別れた。

黒桐さんは駅に向かうわたしを見送った後、喫茶店の外で待っていた誰かに声をかける。

わたしはそんな二人を遠くから、人混みにまぎれながら見届けて、もう一度ありがとうございますと呟いて、夏の街を後にした。

◇

——以上が夏の顚末《てんまつ》。

わたしは相変わらず未来を視るし、ワッとやってくる自己嫌悪の波にいじけながらも日々暮らしている。

何が変わったワケでも、何が解決したワケでもないけど、悩むのだけは極力スルー。黒桐さんが見せてくれた笑顔みたいに、いまの自分を信じていなくちゃ幸福な未来なんてやってこない。

未来視というズルをするわたしには、ズルをするなりの責務があるのは当然だ。それでもこの目を嫌わずに受け入れていたのは、きっと、誰かにとっていいコトができると信じていたから。その願い通り、前向きにやっていこう。

「それでさー、手術するっていうんで髪ばっさり剃ったんだけど、うちの弟《バカ》、目を覚ますなり鏡に見入っちゃってさー。髪がないってクールじゃね？　なんて世迷いごと言うワケ！　クールじゃねーよ、ただのハゲだよ、スキンヘッドだよ！　うちの家系に火星人はいらないって頭殴ったらさー、また傷が開いちゃったのよー！」

いつのまに弟さんの話になったのか、ナオミちゃんは本気で元気だ。

……家に帰る時、この世の終わりのような顔をしていた彼女は、旅客機の中で必死に戦っていたに違いない。

未来に対する強い祈り。待っているのが動かしようのない運命だとしても、決して未来を悲観しなかった彼女の強さが、こうして終わった事、辛かった過去を〝良かった〟ものとして笑い飛ばしている。

「ナオミちゃんはカッコいいなあ」

「でしょでしょ？　やっぱカワイイよりカッコイイだよねー！　今どきお嬢様とか優等生とかウザいだけだって。これからはクールビューティーの時代だぜ。でも禿頭《とくとう》は勘弁な！」

と。絶好調なナオミちゃんの笑い声がピタリと止まる。

その視線はわたしの背後に。さっきまで少し離れたところでくつろいでいた新入《ストレンジャー》りが、わたしたちのテーブルにやってきたのだ。

「――――なによ」
チ、と舌打ちするナオミちゃん。
静かにしてくださる、とか、下品でしてよ、とか、そういう注意がとんでくるだろうと敵意もろだしである。が。

「ううん、楽しそうだなって。ね、私もまぜてくれる？」

その子は、わたしたちの予想に反した挨拶をしたのだった。

呆然とするわたしたちをよそに、はじめまして、と極上の笑顔をうかべる一年生。

ナオミちゃんは口をパクパクさせながら絶句し、わたしはその、〝お嬢様〟という概念がカタチになったような少女を未来視する。

「あれ。貴女、もしかして瀬尾さん？　よかった、挨拶にいく手間がはぶけちゃった」

わたしはわたしでナオミちゃんとは別の驚きで何度も瞬きをしつつ、おおまかの事を理解した。
これから一年、ううん、もっと長く。
わたしはこの少女と相部屋になって、波乱に満ちた学園生活を送っていく。
おそらくは気が合わないと思っていた彼女への印象は、たった一秒で書き換えられた。
この先固い友情を誓い合うルームメイト。
いずれ礼園の頂点に立つ、親愛なる悪友との出会いは、夏休み最後の夜だった。
ちなみに、

「ところで、黒桐さんってどこの生まれなんですか?」

なんて質問をした事を、彼女はいつまでも不思議がる事になる。
ただの同姓《ぐうぜん》か、と胸をなで下ろしたわたしの勘違いが正されるのは、ずいぶん先の未来《はなし》になる――

未来福音 序 *Möbius link*

†

また暑い夏がやってきた。

私は四階建てのビルの屋上から、何をするでもなく街の様子を眺めている。

この頃は夏入りが遅く、今年は例年にない冷夏になると囁《ささや》かれたが、フタを開けてみればこの通り、連日最高気温をたたきだす猛暑となった。

照りつける日射しは閃光弾《フラッシュバン》のように眼球を削り、路面から沸《わ》きたつ熱気は鼻腔《びこう》を突く麝香《ムスク》のようだ。

サハラ砂漠のような現代の夏。熱砂には堅固なビル群と、疲れを知らぬキャラバンと、雄牛の骸《むくろ》の如き、時代遅れの遺物が点在している。

もっとも、ビル群は砂上の楼閣と言うほど脆《もろ》くはなく、その多くはこの十年間をしっこく生き延びた。朽《く》ちていった建物もあるが、それらには志《こころざし》半ばで終わったとしても、満足のある時間《しょうがい》であった事を祈るしかない。

終わりは万物に訪れる。どのような見解《アングル》をもってしても、それが根本的に悲しいものである事は覆《くつがえ》らない。その中で新たに生まれたものがあったのなら、後に続く我々にも、頭痛薬ほどではあるが、ささやかな励みとなるだろう。

などと。

煙草を口にしたまま、似合わない物思いに耽《ふけ》ってみる。

平和な昼休みを台無しにする雑念だ。実に無粋だが、叙情的な思考作用も仕事の一環なのでしようがない。

私の立つビルの屋上は、低くもないがそう高くもない。

一般家屋を見下ろしてはいるが、ここ数年に建てられたビルからすれば膝ほどもない。

いや、そもそもマトモな建物ですらない。

一般的に見れば廃ビル、不良債権といったところだ。

なんでも建築工事が途中で放棄《ほうき》されたものらしく、起工は一九九二年、放棄は翌九三年。

長く造り途中だった五階は、今では立派《りっぱ》に屋上として機能している。

以前、この廃ビルを使用していた人物が手を加えたという話だ。顔も名前も知らないが、その度を超した物好きさに感謝している。

「────、っ」

ふと視線をあげてしまい、日射しの白さに目眩を覚えた。

私の視界は半分しかない。若い頃、事故で右目の視力を失ったのだが、幸いな事に左目だけでも問題なく暮らしている。

深呼吸をして立《た》ち眩《くら》みから回復する。

朽ちたフェンスによりかかって、口直しとばかりに街の風景を一望する。高さにして約十五メートル。俯瞰《ふかん》と言うほどの絶景ではないが、街の様子を眺めるには十分な高さだ。

地上からでは見つけられない、想像もできない街の顔がここにはある。

たとえば二十メートルほど離れた一角にある一般家屋。

古い、昭和の頃から生き残っている二階建ての家だ。

これが実は三階建てで、下からだと屋根にしか見えない部分には、四畳ほどの空中庭園がある。瓦の屋根の上に緑溢《あふ》れる庭があるというのは羨ましい。天気のいい日は決まって洗濯物《せんたくもの》が干されている。おそらく、私が生まれる前から続いている日課だろう。

そんな日本家屋の真横に立つ十階建てのビルは、この高さから見ると少しだけ屋上の様子が目に入る。オフィスビルという話だが、屋上は閉鎖されているようだ。

葛《つづら》折《お》りの非常階段が唯一の交通手段だが、残念なことに鉄柵が下りている。あのビルに勤める人々は、あれだけの絶景を身近にしながら足を踏み入れるどころか、その存在すら気にかけない。

さらに視線を移せば、どこにも出口のない路地裏を発見したりもする。家と家の合間に走る、近所の住人《かれら》しか使わない、知りようのない小道だ。

小道から通りに出る先には、五年ほど前に作られた駐車場がある。

かつては路地として機能していたものは、今ではトマソン化している……と思えば、よく見ると人間一人がぎりぎり通り抜けられるスペースがある。あれでは毎日あの通りを使う我々でも、駐車場の奥に小道があるなど気づきもしまい。

それらすべてが街の顔、自分以外の、確かな人々の暮らしの証だ。

自分の暮らしに沿っていては発見しようのないそれらの繋がり、広がりが、この高さからだと少しだけ垣間見《かいまみ》られる。

都会の喧噪の中にあっても、街に住む人々の暮らしは変わらない。

社会《そと》のモラルが上がり、個人《なかみ》のモラルが下がったとされる現在だが、みな自分の暮らしを生きている、という一点は変わらない。

雑多ではあるが愛嬌《あいきょう》に満ちた街。

悪意はあるが、より多くの善意で回る素朴《そぼく》な営み。

そんな凡庸《ぼんよう》な一日を、漠然と眺めるのが私の唯一の趣味だ。

もう未来を視る事も、未来を悲観する事もない。

過去も未来も、現在からすれば遠い彼岸の話にすぎない。神ならざる身としては、せめて、それらに思いを馳せるだけで精一杯だ。

「それにしても」

暑い。十分ほど気晴らしのつもりで屋上に来たのだが、休憩《きゅうけい》が過ぎた。

階段を下りて四階の事務所に向かう。

夏の日射しのおかげで病院のように明るいビルの廊下には、少女の声が響いていた。

〝そうして彼は、オリガ博士からにげることになりました。たどり着いたのは夜の祭り。提灯《ちょうちん》と花火と、桜散る、春の廓《まち》に出会ったのです。〟

声は事務所から聞こえてくる。内容はおなじみの朗読だ。本棚にしまわれた自費出版の本を、あの少女はいたく気に入っている。

〝とくべつ、人間に憧《あこが》れていたワケではないのです。

ただ、あまりにも廓《まち》が雑多できらびやかだったので。

自分のような仲間はずれがひとりいても、誰も気にしないだろうと。〟

物好きにも、謳われているのはとくに人気のなかった短編だ。

彼の書き残した本はたいてい子供向けの物語で、それは絵本なのだから当然ではあるのだけれど、半分は子供を置き去りにした内容だった。

この短編もその一つ。舞台は空想のまじった江戸の町で、蘭学《らんがく》博士の手から逃れた男が人々にまじって生活する話だ。

おかしいのは、その男が人間ではなくロボットということ。ロボットは誰が見てもロボットで、顔などは真空管に穴をあけて目と口を表している。かろうじて擬人化が成立したキャラクターなのだが、これがどうして、単純であるからこそ記憶に残る。

ロボットは人間のフリをして町の暮らしにとけこんでいく。

人間になりたい、という気持ちが生じた訳ではない。

暗い研究室しか知らなかったロボットは町の美しさに憧れた。順序が逆なのだ。単純に、人間になれば町にいられるから、人間のフリをした。

ただ、数年が経って、

〝奇妙な喩《たと》えだが。私は、記録するインクのようだ。〟


ロボットには、誰にも言えない悩みの種が生まれてしまった。

人間らしい心は手に入れたけれど、どうしても、人間の体だけは手に入らなかった。

顔や手足は偽装できても、涙とか血とか、そういう機能が備わらなかったのだ。

〃また、春の嵐がきた。

舞い散る桜と競いあうように、夜空には大輪の花。〃

さらにおかしな事に、物語では祭りは春に行われる。日本人なら花火は夏と脊髄《せきずい》反射するだろうに、作者《かれ》は春にこそ花火が相応《ふさわ》しいと感じたらしい。

ロボットが町にやってきたのと同じ夜。

人で賑《にぎ》わう橋の上で花火を見上げていたロボットは、不注意にも、人混みに押されて川に落ちてしまう。

ここにきて唐突なのだが、ロボットは水が弱点で、触れるだけで壊れる仕組みだった。全ての機能がダウンして、偽装していた仲間の皮《ばけ》も溶けてしまう。

川に落ちたロボットはショートしながらも、懸命に顔を隠す。


〃せっかくの春なのに。

どうしよう、追い出されてしまう。

どうしよう、怖がらせてしまう。〃

町に住み続ける為ではなく、町に住む人々を思ってロボットは顔を隠す。

橋の上からは彼を見つけた人々の悲鳴がする。

隣人であった人々が指を指して怒鳴っている。


〝ああ。自分は化け物なのだ。〟


何年かぶりにロボットは思い起こした。

なにもかも夢で、うまくやってきたつもりだったが、最初から最後まで、結局は仲間外れ。川に沈みながら、水で滲《にじ》んでいく視界で、人々で賑わう橋を眺め、

〝最期に。男の目から、一筋の涙が。〟


それが物語の締めである。

声は途切れている。読了後のちょっとした間。放っておけば次の話に行きかねない。咳《せき》払《ばら》いもノックもせずに事務所の扉を開ける。

「あ。ミツルさん、いたんだ。てっきり留守かと思ったのに」

手にしていた本を机に置き、白い少女がこちらに振り返る。

「留守にするなら鍵はかけておくよ。屋上にいたところだ」

「そうなんだ。損しちゃったな、わたしも行けば良かった」

悪びれた風もなく、少女は華《はな》のように笑った。

ブラインドの下りた薄暗い事務所。そこに、奇跡のような姿がある。

年齢はたしか十歳ほど。水に濡れたような長い黒髪。幼さ特有の愛らしさを持ちながら、大人びた理性《ひかり》を持った青い瞳。今時はまったく流行《はや》らない高級志向のブラウスは、しかし、流行に左右されない普遍的な気高さを帯びている。

「――――」

先ほどのロボットではないが、一瞬、まぶしさに目を疑う。

ある意味、この少女は魔的だった。

少女の前では、誰もがその将来を楽しみにしながら、永遠にこのままで在り続けてほしいと願うに違いない――

「――という表現はどうだろう。君の小悪魔《こあくま》っぷりを隠しながらも如実に表していると思うんだが」

「即興にしてはいい出来ですね。でも最後のは余計かな。聞く人によっては、ミツルさんの性癖《せいへき》を疑っちゃうわ」

屈託《くったく》のない、心から会話を楽しむような少女の笑顔。

「問題ないね。別に、疑われて痛む腹なんぞ持ち合わせていないからな」

乱雑に返答して自分の机に向かう。

どれだけ美しかろうと、私にとってこの少女は厄《やく》の種だ。許されるなら首もとをつねり上げ、ネコのように窓から放り投げている。

「ちぇっ。ミツルさんは今日もご機嫌斜めね。せっかく習い事から抜け出して来たのに、たいくつ。またお金に困ってるだろうから、お仕事だってもらってきてあげたのに」

少女はやや不満そうに唇《くちびる》をとがらせるが、頭を抱えたいのはこちらの方だ。

「……信じられん。ここに無断で来るなとも言ったし、塾を抜け出して来るのは迷惑を通り越して殺人レベルだとも言ったはずだ。薄々は感づいていたが、そんなに私を殺したいのかマナお嬢様は？」

「え？　やだ、そんな勿体ないこと、とてもできないわ。それよりミツルさん。わたし、お嬢様って言い方はよくないと思うの。保護対象って感じがして窮屈《きゅうくつ》だし。とくにミツルさんのは、微妙に悪意というか、これ以上は親しくならないぞっていうトゲを感じるわ。

──これは命令なんだけど。初対面の時みたいに、マナ君って呼んでもよくてよ？」

「…………………」

これ以上ないという時代錯誤なお嬢様台詞《ぜりふ》に、一から十までからかわれているのではないか、といっそう憂鬱になる。

「悪いが、付き合っていられない。今からでも遅くないから、さっさと家に帰ってくれマナ。十歳の子供にアゴで使われる趣味はないよ」

しっしっと手を払って邪険にするも、少女はますます表情を明るくする。

「うんうん。ミツルさんのいいところは台詞も仕草もチンピラなところよね。わたし、飾りのない言葉は好きよ？　絵本作家にしては、感受性に欠けているとは思うけど」

それこそ余計なお世話だ、放っておいてほしい。

話は前後するが、私、瓶倉光溜《かめくらみつる》は駆け出しの絵本作家だ。

今年で二十六歳、まだまだ新人にすぎないのだが、なぜか雑誌社の覚えがよく、何冊か出版させてもらっている。それもこれも、この事務所の前の借り主の功績なのだが、そういった縁《えん》もろとも受け継いでいるのが現状だ。

「でも『吸血鬼の涙』は名作なのよね。ミツルさんってば、処女作で燃え尽きちゃうタイプなのかしら……二冊目の『残光ケージ』は資源の無駄レベルだったし……」

悩ましく唇に指をあてながら、本棚を物色する少女。

『吸血鬼の涙』というのは、さきほど少女が朗読していた短編のタイトルであり、私名義のデビュー作でもある。私の命を助けた一冊であり、少女と知り合った原因となった一冊だ。

……ちょうど二年前。この貸し事務所の家賃やら生活費やらで私は借金を重ね、ついに債権者に問いつめられる事になった。

問題は債権者たちの元締めがこのあたりの名代……おもに暴力団関係の……であった事だ。その名字を聞いただけで私は震え上がり、もう漁船でも海洋油田採掘でもいいから、一刻も早く街から離れたい気持ちでいっぱいだった。そんな窮《きゅうち》地に現れたのがこの少女である。

〝瓶倉先生ですね。お会いできて光栄です〟などと、本を手にして割って入り、鬼のようだった黒服の青年たちは退場。

助かった、と安堵《あんど》した直後、鬼たちを凌《しの》ぐ閻魔《えんま》の如きボスが現れ、あれよあれよと彼らの一員になる事で一命を取り留めさせられたのだ。

〝ちょうど良かった。うち専属の興信所が欲しかったところでねぇ。おまえ、そこの所長になれ。得意だろそういうの。は、絵本の仕事がある？　うん、いいんじゃない、それぐらいなら。オレだって鬼じゃなし、副業ぐらいは許してやるよ〟

かくして、私は絵本作家をしながら興信所……小説風に言うなら探偵業である……を営《いとな》む、節操のない人種になってしまった。

この少女は私の命の恩人にして、親分《ビッグボス》の一人娘だ。

なので、嫌っている訳ではないが、必要以上に親しくなるのも問題がある。

私の事務所に通いつめるのは物珍しさや家での息苦しさが併発した、一時の熱病であってくれればいいのだが。

「それよりマナ。その、組からの仕事というのは？」

ここに回ってくる仕事はたいてい、興信所の名に恥《は》じない、地道な努力と違法一歩手前の粘着《ねんちゃく》行為による素行調査だ。

希に、あの組長の意地の悪さを窺《うかが》わせる難事件も混ざっているが、多くは穏便《おんびん》に済ませられる仕事である。少女が持ってきた件はその中間らしい。

彼らが治安を守っている……と自主的に主張している……地域に、不審な人物が出没するという。その人物を調査し、危険人物と判断したのなら速やかに立ち退《たの》きを要求しろ、というものだった。

「……路地裏に出没する商売人ときたか。危ない売人じゃないだろうな。自慢じゃないが、体育会系の相手はできないぞ、私は」

「そういう人じゃないって話よ。ふつうの、売れない占い師さんみたい。むかし世話になった人だから、あまり手荒なマネはしないで、最後まで面倒をみてほしいって」

なるほど。私に押しつけるのは、暴力行為を避けたいが故《ゆえ》か。

しかし――

「この住所で、占い師だぁ……？」

十年ほど昔の記憶を探る。

観布子南の繁華街。占い師。

マナから手渡された資料には、彼女の昔の写真と特徴《とくちょう》が記されている。

「……呆れたぜ。あのバアさん、まだ生きてたのか」

「？　ミツルさん、知り合い？」

「ずいぶんと昔にな。あのころは良く当たる占い師ってコトで有名だったが、最近はとんと聞かなくなった。てっきり臨終したのかと思ったが――」

まだ能力は現役だったらしい。

いや……それにしても、体力は衰《おとろ》えているだろう。

あれから十年以上経過している。今では七十近いはずだ。街の辻占いは辛いだろうに、まだ人様の運命に手を出したいと見える。

「まあ。この方、未来を当てるのが特徴ってあるけど……ホント？」

資料を見て驚くマナ。

半信半疑、というより、〝未来を当てる〟という言葉の意味を飲みこんでいない顔だ。

「ああ。たいていの未来視は偽物だが、あのバアさんのは本物だよ。情報処理だの行動の積み重ねだの関係ない、掛け値なしの予言者だ。なにしろ、何の情報もなしで相手の未来を当てるんだから」

どう聞いても眉唾《まゆつば》な台詞を疑わず、少女は目を輝かせる。

……軽率さに頭痛を覚えたが後の祭りだ。

私の言葉に興味を覚えた彼女が、この後どんな行動に移るか考えるまでもない。

◇

夜を待ってから、私は仕事を片づける事にした。

観布子南は昔ながらの繁華街だ。この十年間、大きく様変わりした建物《もの》はない。せいぜい、パチンコ店の内装《なかみ》がより清潔な、万人に遊びやすい偽装を深めた程度だ。

「おどろいた。オトナってみんな夜更かしなんですね」

傍《かたわ》らに付いてきている少女は、踊《おど》るようなステップで夜の街を観察している。

午後十一時前。少女の親元には連絡を入れておいたので誘拐《ゆうかい》騒ぎにはならないが、後々、硯木《すずりぎ》秋隆《あきたか》氏に咎められるのは間違いない。

事情があるにしろ、これでは夜更かしというより夜遊びだ。マナの教育係として、苦言を呈するのが氏の役割である。

「マナ、こっちだ。ここからは暗いところを行くから、私の側から離れないように」

少女に注意をうながして、狭い路地に入っていく。

細く、暗く、長い通路の先に、ぼんやりとランプの明かりが灯っていた。神殿の祭壇のようだ。この熱帯夜の中、占い師は厚ぼったい黒ローブ姿で客を待っていた。

「いらっしゃい。ちょいと寄っていくかい、お兄さん？」

寄っていくも何も、ここは袋小路の行き止まりだ。通り過ぎていく先はない。

「はい！　はいはいはい！　はじめまして占い師さん！　あの、未成年でもお相手してくださいますか？」

「おや。いかついお兄さんかと思えば、可愛らしい声がするじゃないか。ああ嬉しいね、久しぶりのお客さんがこんな可愛らしい子だなんて！　いいともいいとも、それで知りたい運はなんだい？　遠慮しないでいいよ、誰であれ女の子なら無料さね」

「ありがとうございます。それでは、わたしとパパとの恋愛運を占っていただけますか？」

マナは屈託なく占い師と向かい合う。占い師はまんざらでもない顔で水晶玉を覗きこむ。何十年とこなしてきた動作に、年齢による疲れが見える。やや老《ふ》けたか。占い師の視力はずいぶんと落ちている。おそらく、目の前にいる少女の姿すら曖昧だろう。

「おや。占うまでもないじゃないか。相思相愛だよ、お嬢さん。アンタは十分に愛されてる。これ以上の深さはちょいと難しいね。倫理的に」

倫理的になのか。

「はい。いつかお母様を倒して、パパを取り戻すのがわたしの目標ですから」

少女は向日葵《ひまわり》のような笑顔で、頭が痛くなる冗談を口にする。会話はまったく成立していないが、占い師は上機嫌だ。本当に、久しぶりの客らしい。

「観布子の母も地に落ちたな。不幸な未来を回避する、なんてのはもう時代じゃないって事か」

現代においては、不幸ではない未来そのものが品薄だ。

いかに老婆が未来を視たところで、そもそも幸福な未来が品切れでは、今時の客は満足すまい。

「うん？　誰かと思えばこりゃあ懐かしい。ご同業じゃないか。いや、ご同業だった、と言うべきかねぇ」

老婆は目を細めて私を見る。

……地に落ちた、などとんでもない。老いた視力とこの暗がりでは私の顔を見る事さえできないだろうに、そんな事まで読み取るとは。

そうだ。老婆の言う通り、私はとうに、

「アンタの事じゃないよ。こっちの話さ。もう歳《とし》でね。他人の未来なんざとっくに視えなくなってる。おまえさんの皮肉は正しいよ。観布子の母は死んだも同然さ」

「？　未来、視えないんですか？」

マナは残念そう……ではなく、不思議そうに老婆の顔を覗きこむ。

「ああ、もう視えないよ。明るいものはなあんにもね。でもまあ、それはそれでいいんだ。これでようやく楽になったって、肩の荷が下りたもんさ。ところがだよ、そうしたら逆に過去ばっかり視えるようになっちまった。まったく、何の因果なんだかねぇ」


未来を視る以上、過去を識《し》るのは当然の力だろう。

しかし、それが本当なら余計に気が滅入《めい》る話だ。過去が視える、という触れこみがありながら客入りがないのは、その異才が誰にも求められていないからだ。

誰だって、暗い未来も、粗末《そまつ》な過去も見たくない。


「この十年でそういう時代になったんだな。バアさん、アンタの占いはもう流行らない。悪いことは言わねえから止めちまえ。抗議もきてるしな。アンタは、なんて言うか——」

時代の流れに置いていかれた。

純粋な希望に価値を見いだす浪漫は、いつの間にか無くなったのだ。

「ほう。そういうおまえさんはどうだい？　この十年で変わったかい？」

私？　私は――どうだろう。

変わったものはある。だが、それはあくまで機能の一つが無くなっただけだ。

私はこの十年間。いや、正確には十二年間。あの、人間のマネをしていたロボットのように、街の暮らしにとけこんでいただけではないのか。

得難い友人と出会い、喪《うしな》い、彼の跡を継いでみたものの、唯一の読者にはダメだしをされる毎日だ。

「……そうだな。情けないことに、そう変化はない。資源の無駄だ。アンタはともかく、私は有害ですらない、半端なチンピラのままだ」

ある日。唐突にロボットではなくなった気がしたが、もって生まれた自分は変わらなかった。私に起きた変化、私の人生に起きた変化は、周りに迷惑をかけるかかけないかの違いでしかなく、何かを与えた事はいまだない。

「そんな事はありません。ミツルさんはいい人です。もっと自信を持ちなさい」

真顔で私を糾弾《きゅうだん》する少女。

「……それは光栄だが、なにを根拠に？」

いつもなら聞き流す類《たぐい》の台詞だが、この状況がそうさせたのだろう。何事かを期待して聞き返す。

「なにって、ミツルさんはパパに似てるもの。地味《じみ》なところとか、右目が利かないところとか、女の人に弱いところとか。わたし、そういう人を使うのは得意よ？」

「…………」

あははははは、とたまらず大笑《たいしょう》する占い師。

私は何ともいえない空しさをやり過ごすので精一杯だった。

「笑いすぎだバアさん。歳だろ、体を考えろ」

けらけらと占い師は笑い続ける。

その暴挙は一分ほどで収まった。満足したのか、腹筋がつったのか。ぜひ前者であってほしい。

「はっ、はっ、は――いや、長生きはするもんだよ。あの坊やが随分と人間らしくなったじゃないか！　……ああ、そうかい。アンタ、いい十年間を過ごしてきたんだねぇ」

……どうだろう。十年前どころか、一年前の事さえ鮮明ではない。

いい事と悪い事だけは大切に、昨日の事のようにしまってあるが。

「とにかくだ。ここで商売をやられると迷惑なんだよ。次は強面《こわもて》の連中がやってくる。その前に隠居するんだな。だいたいアンタ、金に困ってるワケじゃないだろう。昔っからタダでやってたんだから」

「余計なお世話だよ。わたしゃおまえさんが生まれる前からこの商売やってんだ。迷惑がられようが、客がいなかろうが、最期まで続けるだけさね」

説得は失敗だ。この占い師が人の言う事……ましてや私の言う事を聞くはずがないのだ。

成果は無かったが、仕事としての義理は果たした。

後は組の領分だ。実力行使による立《た》ち退《の》きは、彼らのもっとも得意とするものだろうし。

「帰るぞマナ。いいかげん子供は寝る時間だ」

少女に声をかける。

「待って。ひとつ、おかしなコトを聞いた気がするの。おばさまは、自分のコトを死んだも同然って言ったわ。もう観布子の母はいないんだって。なのに、どうして占いを続けるの？　未来を視なくなって、ようやく楽になれたのに」

少女の言葉に占い師は皮肉げに口元をゆがめた。

苦笑いとも郷愁《きょうしゅう》ともとれる表情。

老婆は疲れた声で、

「なんでかねぇ。言われてみれば辛いコトしかなかったけどねぇ。わたしの人生ってヤツは未来に食われちまって、手に残ったものなんざ何もなかったけど……そうさねぇ。こんなもの、誰かの役に立てる以外、使い道がないからかねぇ」

ささやかな祈りのように、自ら、そうありたいと願った人生を口にした。

「――――」

弱々しい、だが、誇りに満ちた声。

……私は、かつてある少女に人生を変えられた。

そのおかげで、定められた、目に視える未来から解放された。

代わりに得たものは失敗だらけの人生だったが、それでも残るものはあったのだ。

この老婆にはそんな出会いすらなかったが、その中で、自分が良しとした役割に殉じたのか。

「ねえミツルさん。お願いがあるの」

にっこりと、天上の微笑みをうかべて少女は私を見る。業腹《ごうはら》なことに。この笑顔に逆らえた事は、今まで一度もない。

「……聞くだけは聞く。言ってみなさい」

「わたし、占い師さんの仕事は素晴《すば》らしいことだと思うの。観布子の母はこの街に必要だわ。っていうか、わたし、おばさまが大好きだわ」

「誰彼《だれかれ》かまわず好きになるのは君の悪いクセだ。……で？　だから、どうしろと？」

「分かっている事を聞き返すのはミツルさんの悪いクセね。――それでも、言葉にして言ってほしい？」

「……結構だよ。言葉にされると余計に気が重くなる」

マナのお母様を誤魔化す……事は不可能なので、死ぬ思いで説得する。

それだけではない。繁盛とまではいかずとも、この老婆を占い師としてもり立てる。最後まで面倒をみるとはそういう事だ。

「……問題は山積みだ。そもそもバアさんが承諾《しょうだく》するかどうか」

「こっちの事情は気にしないでおくれ。わたしゃやりたいようにやるだけさね」

「ほら、おばさまもやる気満々だし。つまらない問題なんて、そんなの、眼鏡をかけたミツルさんなら解決してくれるでしょう？　それとも、その時はクラミツと呼んだ方がいいかしら？」

「――君な」

キリキリと痛む眉間《みけん》に指を当てる。

その名前はあまり口にしてほしくない。


十年も前の話だ。

成功する未来が視える為に、その未来しか選べない人間がいた。

自分が現在に生きているのか、未来の為に生きているのか分からなくなった男は、いつからか自分の為ではなく、自分の未来に奉仕する奴隷になった。意志を持たない機械。未来という、定められた命令を実行するだけのロボットだ。

男は機械的な爆弾魔となり、五年ほど小金を稼いだ後、ある殺人鬼に殺された。

爆弾魔……倉密メルカと名乗った男は、たしかにそこで殺されたのだ。自らを縛っていた未来を、右目ごと両断されて。

爆弾魔は敗北し、目前に迫った死に恐怖した。

殺人鬼は容赦なく、激痛にうずくまる爆弾魔を殺そうとし――――その姿を見て一切の興味を失い、気まぐれなネコのように立ち去った。

……彼女にしてみれば拍子《ひょうし》抜《ぬ》けだったのだろう。なにしろ、倉密メルカと名乗った男はあまりにも弱々しかったのだから。

殺人鬼は去り、残された爆弾魔は病院に運ばれた。

それが十二年前の話だ。

立体駐車場で起きた爆破事件の被害者は二名。

一人は家族を守って軽傷を負った男性。

もう一人は、爆発には巻きこまれなかったものの、なぜか右目を負傷し、視力を失った十四歳の子供だった。

……余談ではあるが。倉密メルカという偽名はたまたま見かけたコミックに出てきた、ある悪役の名前である。偽名とはいえ、自分の名前を入れ替えたアナグラムを名乗る事で、最低限のアイデンティティーを保ちたかったのだろう。

その倉密メルカは既にいない。

未来はもう視えない。

今の私は人間らしく、かつての未来視の真似事《まねごと》をするだけだ。


「――――まあ。何かを壊すよりは、やり甲斐《がい》のある組み立てだが」

ふて腐《くさ》れながら呟く。

少女は信頼に満ちた笑顔をうかべて、私の手を取った。

「決まりね！　安心しておばさま、まだまだ覇気が足りないけど開き直ったミツルさんは頼もしいんだから！　大船に乗った気でいてください！」

「お待ち。そこの兄さんの名前は知ってるけど、アンタの名前はまだ聞いてないよ」

あ、と短く息を吐《は》いて少女は立ち止まった。

私から手を離し、占い師と向き合って、失礼いたしました、と行儀良くお辞儀《じぎ》をする。

「未那《マナ》。両儀《りょうぎ》未那です、素敵な占い師さん。

お母様――――いえ、お父様がお世話になりました」

その名前にどんな物語があったのか。

老婆は今度こそ本当に、心底驚いたという顔で少女を見つめた。

もう視力のない目を何度もまたたかせる。

「ああ――そうかい。そういうことも、あるんだねぇ」

眩《まぶ》しいものを見るような、あるいは、未来を祝福するような、穏やかな笑顔。

「達者でね。ま、わたしが言うまでもないだろうけど」

「そちらこそお元気で。どうか健やかに、おばさまらしくお過ごしください」

そうして少女は歩きだし、私は弾《はず》むように手を取られる。

私は視線だけで占い師に別れを告げる。

不思議な事に、占い師の座る机は堂々とした、力強いものに変わっていた。

ここに来た時と何も変わらないのに、印象だけが違っている。

おそらく。彼女の物語はこの少女に出会う事で、ささやかな団円を迎えたのだ。

かつて主役だったものが舞台から下りても、舞台が続くかぎり客入りは途絶えない。

……実に忙《いそが》しい事だが。

私が主題となる物語は十年前に終わったが、まだ端役《はやく》としての役割があるようだ。

「行きましょうミツルさん。まずはお母様の説得からですね」

「……それは、いきなり最難関だな」

ともあれ、ロボットはロボットなりの働きを。

私の未来は、まだ、希望と不安に満ちている。

この筋書きにライトが当たる事はなくとも、多くの主役たちによって、舞台は回っていくらしい。

物語は続いていく。

私の行き先は、漠然とではあるが、きちんと左目《いま》に見えている。

／未来福音　序

0／

一九九六年、一月。

今にも泣き出しそうな空の下、彼は自由を満喫《まんきつ》していた。

深夜零時の逢瀬《おうせ》。真夜中の逍遥《しょうよう》。四辻《よつじ》に出会う殺人鬼。

そんなフレーズを口ずさみながら、彼は夜の街を闊歩《かっぽ》する。

もちろん彼女には内緒で、お気に入りの赤いジャンパーを羽織《はお》って、自虐《じぎゃくじ》自暴《ぼう》な、きっかけさえあれば殺したり殺されたい気持ちでいっぱいのまま、バランスを崩《くず》した人形のように街を彷徨《さまよ》う。

彼女は深く眠っている。

その隙に彼が夜の街に出たのは、自分の終わりを感じての事だった。

壊れはじめた彼女。

壊れるしかない自分。

守らなければならない私。

守らなければならない誰か。

それらの矛盾《むじゅん》に苦しむのは彼女の役割で、彼はあまり気にしない。

何をどうすれば彼女が救われるのか。その究極的な手段を、もう悟っていたからだ。

——要は、自分《かれ》が消えれば。彼女は幸福に生きられる。

なので、今は気兼ねなく夜を楽しむ。

残り少ない命を謳歌《おうか》するカゲロウのように。

心のどこかで、死にたくないと訴える子供のように。

「別に、死が怖いってワケじゃないさ」

ひとり呟く。強がりではない。なにしろ、彼が死んでも彼女は死なない。彼が死んでも、この体は死を迎えない。だから怖いのは別の事。

昼休みの青空とか、放課後の夕焼けとか。

そういう、あの少年を通して見た憧れが、彼にはあまりにも——


〝いらっしゃい。ちょっと寄ってくかい、お兄さん?〟

はた、と足を止める。ポケットにつっこんだ手には飛び出しナイフ。今夜は機嫌が最悪《さいこう》なので、きっかけさえあればやってしまっても構わない。

呼び止めた女は占い師だった。

たしか、彼女が学校で聞いた話では、不運な未来を回避させてくれるのだとか。

「は――」

まったく笑わせる。何様のつもりだと楽しくなって、ナイフを持つ指に力がこもる。

それでも理由が必要なので、彼はカタチの上だけでも話しかけた。

「へえ。面白い、占ってよ」

ナイフを持っていない左手を見せる。

占い師はまじまじと手相を見て、何度も何度も首をかしげた。

「ほら、結果を教えてくれ。どうすればよくない未来とやらを回避できる?」

からかう声には殺気がある。

彼は、この占い師がつまらない、当たり障りのない遺言《ことば》を吐くのに期待して、

〝――いや、こんな未来もあるんだねえ。ダメだわ、死ぬよアンタ。何をやっても、何をしても、アンタには未来というものがない〟

その。覚悟していたものの、あまりにも早い死刑宣告に聞《き》き惚《ほ》れた。

「……驚いた。アンタ、本物か」

すまないね、と占い師は溜息をつく。

そうしている今も彼の手を見つめているのは、占い師としてのプライドからだろう。

彼は力なく、急激に熱から冷めるように、殺気と自由をひっこめる。

占い師は、まだじろじろと彼の未来とやらを見つめている。

「なんだよ。もういいよ、お先真っ暗なんだろ。別に助かろうなんて思ってない。むしろ清々したぐらいだ。その礼じゃないけど、このまま何もしないで立ち去るよ」

〝ううん、そうじゃないのよ。何をやっても死ぬのは確かなんだけど……珍しいわ。こういう未来があるなんて〟

「？」

占い師は戸惑っている。

それとも――全てを見通した上で、彼に同情をしているのか。希代《きたい》の未来視。何かの間違いで神様の目を与えられた占い師は、自分でも確信のつかない声で、

〝貴方はもうじき消える。道行きは真っ暗で、未来はどうしようもない。残るものはないし、救われる事もない。……なのに不思議ね。それでも、貴方の夢は生き続けるわ〟

彼が最後に望む未来を、たしかに言い当てていた。

「――――」

かすかな喜びと、胸の痛み。

彼は寂しげに笑って、見せていた手を引っこめた。

「じゃあな、せいぜい長生きしろよ婆さん。このあたりの夜は物騒だ、年寄りには向いてないぜ」

◇

見知らぬ路地裏の、見知らぬ明かりを後にする。

馴れた河川敷《かせんしき》を歩いて、竹林に囲まれた屋敷を目指す。

ふと顔をあげると空はいよいよ泣きだしていた。

あるクラスメイトの事を思い出す。

見よう見まねの口笛はそのうち、聞き覚えのある歌に変わっていた。

〝――でも、貴方の夢は生き続けるわ――〟

そうか、それならいい、と彼はひとりうそぶいた。
誰かを好きになって、その答えとしてあるのが肯定だと彼女は知った。
けれど彼は否定するしかなく、彼が憧れたものは、どうあっても手に入らない。
怖かったのはそれだけのこと。
彼女と少年の未来が約束されるなら、たしかに、続くものがあるのだから。

「しっかし。お先真っ暗ってのも、オレらしい話だよな」

雨に唄《うた》いながら無邪気《むじゃき》に笑う。
降りしきる雨の中。
彼は一人踊《おど》るように、帰り道を辿《たど》っていった。

本書は、２００８年に「竹箒」より同人誌として刊行された『空の境界 未来福音 the Garden of sinners / recalled out summer』を、改稿のうえ文庫化したものです。

Illustration 武内崇
Book Design Veia
Font Direction 紺野慎一

使用書体
本文１――FOT-筑紫オールド明朝 Pro R＋游ゴシック体 Std D〈ルビ〉
本文２――A-OTF 明石 Std L＋游ゴシック体 Std M〈ルビ〉
見出し――A-OTF 光朝 Std Heavy
柱――FOT-筑紫オールド明朝 Pro R
ノンブル――ITC New Baskerville Std Roman

星海社文庫 ナ1-01

空《から》の境界《きょうかい》 未来福音《みらいふくいん》

2011年11月10日 第1刷発行
2024年10月15日 第19刷発行

定価はカバーに表示してあります

著 者——奈須《なす》きのこ

発行者——太田克史《おおたかつし》
編集担当——太田克史
編集副担当——岡村邦寛《おかむらくにひろ》
発行所——株式会社星海社
〒112-0013 東京都文京区音羽1-17-14 音羽YKビル4F
TEL 03(6902)1730 FAX 03(6902)1731
https://www.seikaisha.co.jp

発売元——株式会社講談社
〒112-8001 東京都文京区音羽2-12-21
販売 03(5395)5817 業務 03(5395)3615

印刷所——TOPPAN株式会社
製本所——加藤製本株式会社

ISBN978-4-06-138919-9 Printed in Japan

小さな愛蔵版
☆星海社文庫
3つの特徴

1 ぬくもりのある『造本』

本文用紙には、通常はハードカバーの本に使われる高級本文用紙「OKライトクリーム」を使用。
ややクリームがかったノスタルジックな紙の風合いが「愛蔵」感を演出します。
また、しおりとしては「SEIKAISHA」のロゴプリントの入ったブルーのスピン(しおりひも)を備え、
本の上部は高級感あふれる「天アンカット」。星海社文庫はまさに小さな本物、小さな愛蔵版です。

2 『フルカラー』印刷による本文写真&イラスト

本文用紙に高級本文用紙「OKライトクリーム」を使用したことによって、
フルカラー印刷で写真やイラストを収録することが可能になりました。
黒一色の活字本文からシームレスにフルカラーの世界が広がる文庫は、星海社文庫だけ!

3 読みやすく、格調高い『版面』

フォントディレクター、紺野慎一による入魂の版面。現代的な可読性と、
文庫ならではのクラシカルで格調高いテイストが両立する希有な版面が、今ここに。
本文使用書体 - FOT-筑紫オールド明朝 ProR

新たなる伝説《レジェンド》が、
今”はじまる!
空の境界《からのきょうかい》
the Garden of sinners
天空すふぃあ
原作／奈須きのこ
キャラクターデザイン原案／武内崇
twitter
作者のtwitterも併せてfollow!
天空すふぃあ：@sphere_tk
最前線
星海社ウェブサイト『最前線』にて大人気連載中!!
Access Us! >>> http://sai-zen-sen.jp/

10年代の
“たった
同人小説から誕生し、歴史と伝統の講談社ノベルス化での大ヒット。
そしてアニメの公開スタイルの流れを変えた、
前代未聞の「全七章・全七部作」の劇場アニメーション化。
ゼロ年代の伝説中の伝説となった小説
『空の境界 the Garden of sinners』を、満を持してついに漫画化。
新たなる奈須きのこワールドを、
新鋭・天空すふぃあが描破・創造する！

サーヴァント アヴェンジャー 召喚に従い 参上しました
ペラリ
どうしました？ その顔は… さ 契約書です
何って見て わからない？ 生地《きじ》を踏んで コシを出してるの
ふみ
ふみ
ステイ！
マスターの 誕生日？
おんやぁ～？ ホームズ君 逃げるのォ～？ こーんな老人に 恐れをなして？
ほほっ ホームズ君 いっつも逃げるなぁ～
よっ 逃げの名手！
ぱん
ぱん
ぐらんどおーだー
漫画：津留崎優
原作：TYPE-MOON

『教えてFGO!』の
津留崎優が贈る、珠玉の
『Fate/Grand Order』作品集!
笑いと楽しさ全開の11編を
ご堪能あれ!

「きみとぼくとの

津留崎優Fate/Grand Order作品集

星海社COMICSより好評発売中!!

漫画で英霊たちの逸話を学んで、
Twitter配信4コママンガ
ツイ4で
(@twi_yon)
好評連載中!!
コミックス第①②巻(以下続刊)、好評発売中!!
なるほど イケメンが関わるとロクなことにならない
先輩！泣いてる黒子の人だっているんですよ！
五体四散して命を失ってしまったので
酒呑ちゃんいつの間に
坂田金時 平安時代生まれ！生まれも育ちも足柄山だ

理由はできれば知りたくない
ひとまわり
絆《きずな》をもっと深めよう!!
漫画／津留崎優
監修／TYPE-MOON 東出祐一郎 桜井光
ヒストリカルチェック／森瀬繚
©TYPE-MOON / FGO PROJECT
教えてFGO
偉人と神話のぐらんど
足柄というのは神奈川県の地名ですね
時が 時代が 人がタラスクを許し給うたのです
私はその 何よりも 嬉しい
いきなりグーパン
信じられます?
証書による

☆星海社COMICS
新作4コママンガを更新中!!
yonをフォロー!!
Webサイト『最前線』で過去作品がいっき読みできます!
https://sai-zen-sen.jp/comics/twi4/

ツイ4
Twitter 4 koma
ツイ4は
365日
毎日
Twitterにて連載
@twi_

SEIKAISHA

星々の輝きのように、才能の輝きは人の心を明るく満たす。

その才能の輝きを、より鮮烈にあなたに届けていくために全力を尽くすことをお互いに誓い合い、杉原幹之助、太田克史の両名は今ここに星海社を設立します。

出版業の原点である営業一人、編集一人のタッグからスタートする僕たちの出版人としてのDNAの源流は、星海社の母体であり、創業百一年目を迎える日本最大の出版社、講談社にあります。僕たちはその講談社百一年の歴史を承け継ぎつつ、しかし全くの真っさらな第一歩から、まだ誰も見たことのない景色を見るために走り始めたいと思います。講談社の社是である「おもしろくて、ためになる」出版を踏まえた上で、「人生のカーブを切らせる」出版。それが僕たち星海社の理想とする出版です。

二十一世紀を迎えて十年が経過した今もなお、講談社の中興の祖・野間省一がかつて「二十一世紀の到来を目睫に望みながら」指摘した「人類史上かつて例を見ない巨大な転換期」は、さらに激しさを増しつつあります。

僕たちは、だからこそ、その「人類史上かつて例を見ない巨大な転換期」を畏れるだけではなく、楽しんでいきたいと願っています。未来の明るさを信じる側の人間にとって、「巨大な転換期」でない時代の存在などありえません。新しいテクノロジーの到来がもたらす時代の変革は、結果的には、僕たちに常に新しい文化を与え続けてきたことを、僕たちは決して忘れてはいけない。星海社から放たれる才能は、紙のみならず、それら新しいテクノロジーの力を得ることによって、かつてあった古い「出版」の垣根を越えて、あなたの「人生のカーブを切らせる」ために新しく飛翔する。僕たちは古い文化の重力と闘い、新しい星とともに未来の文化を立ち上げ続ける。僕たちは新しい才能が放つ新しい輝きを信じ、それら才能という名の星々が無限に広がり輝く星の海で遊び、楽しみ、闘う最前線に、あなたとともに立ち続けたい。

星海社が星の海に掲げる旗を、力の限りあなたとともに振る未来を心から願い、僕たちはたった今、「第一歩」を踏み出します。

二〇一〇年七月七日

星海社　代表取締役社長　杉原幹之助
代表取締役副社長　太田克史